La collection

P R I S E   D E U X

est dirigée par

gaëtan Lévesque

Negão et Doralice

Du même auteur

Le pavillon des miroirs (roman), Montréal, XYZ éditeur, 1994 ; Montréal, Éditions Club Québec-Loisirs, 1995 ; La Tour d'Aigues (France), Éditions de L'Aube, 1999 ; *El pabellón de los espejos*, Guadalajara (México), Editorial Conexión Gráfica, 1999 ; *Fun House*, Toronto, Dundurn Group-Simon & Pierre, 1999 ; *A casa dos espelhos*, Rio de Janeiro (Brasil), Editora Record, 2000 ; Montréal, Lévesque éditeur, 2010. (Grand Prix du livre de Montréal, 1994 ; Prix de l'Académie des lettres du Québec, 1994 ; Prix Québec-Paris, 1994 ; Prix Desjardins du Salon du livre de Québec, 1995.)

Errances (roman), Montréal, XYZ éditeur, 1996 ; Montréal, Lévesque éditeur, 2011.

Les langages de la création (conférence), Québec, Nuit blanche éditeur, 1996.

Un sourire blindé (roman), Montréal, XYZ éditeur, 1998 ; Montréal, Lévesque éditeur, 2010.

La danse macabre du Québec, Montréal, XYZ éditeur, 1999 (épuisé).

La gare (roman), Montréal, XYZ éditeur, 2005 ; *La estación*, Barcelona (España), Montesinos, 2008 ; México, Educación y cultura, 2008 ; Montréal, Lévesque éditeur, 2010. (Prix France-Québec, prix des lecteurs, 2006.)

Le retour de Lorenzo Sánchez (roman), Montréal, XYZ éditeur, 2008 ; Montréal, Lévesque éditeur, 2010.

Clandestino (roman), Montréal, Lévesque éditeur, 2010.

Dissimulations (nouvelles), Montréal, Lévesque éditeur, 2010.

À paraître chez Lévesque éditeur
Les amants de l'Alfama.
L'amour du lointain.
L'art du maquillage.
   – Grand Prix des lectrices de *Elle Québec*, 1998.
Le fou de Bosch.
Kaléidoscope brisé.
Le magicien.
   – Prix Québec-Mexique, 2003.
Le maître de jeu.
Saltimbanques.

Sergio Kokis

Negão et Doralice

roman

Lévesque
éditeur

PRISE DEUX

Catalogage avant publication
de Bibliothèque et Archives nationales du Québec et Bibliothèque et Archives Canada

Kokis, Sergio, 1944-

Negão et Doralice : roman

(Prise deux)
Éd. originale : Montréal : XYZ, 1995.
Publ. à l'origine dans la coll. : Romanichels.

ISBN 978-2-923844-45-9

I. Titre. II. Collection : Collection Prise deux.

PS8571.O683N44 2011   C843'.54   C2010-942768-8
                        PS9571.O683N44 2011

Lévesque éditeur
11860, rue Guertin
Montréal (Québec) H4J 1V6
Téléphone : 514.523.77.72
Télécopieur : 514.523.77.33
Courriel : info@levesqueediteur.com
Site Internet : www.levesqueediteur.com

Dépôt légal : 1er trimestre 2011
Bibliothèque et Archives Canada
Bibliothèque et Archives nationales du Québec
ISBN 978-2-923844-45-9 (édition papier)
ISBN 978-2-923844-46-6 (édition numérique)
ISBN 978-2-923844-47-3 (édition ePub)

Distribution au Canada
Dimedia inc.
539, boul. Lebeau
Montréal (Québec) H4N 1S2
Téléphone : 514.336.39.41
Télécopieur : 514.331.39.16
www.dimedia.qc.ca
general@dimedia.qc.ca

Distribution en Europe
Librairie du Québec
30, rue Gay-Lussac
75005 Paris
Téléphone : 01.43.54.49.02
Télécopieur : 01.43.54.39.15
www.librairieduquebec.fr
libraires@librairieduquebec.fr

Production : Jacques Richer
Conception graphique et mise en pages : Édiscript enr.
Illustration de la couverture : Sergio Kokis, *Tango*,
huile sur toile, 101,6 cm × 122,9 cm, 1984
Photographie de l'auteur : Nicolas Kokis

à Ilse, ma compagne,
ma rouquine,
ma Doralice

Ce fut à qui donna
À l'autre l'illusion
D'avoir un peu vécu

PAUL ÉLUARD,
Le château des pauvres

Avertissement

Voici une histoire d'amour. D'amour et de mort. Les deux seules choses qui comptent dans la vie. Il y a aussi le travail, naturellement ; mais la satisfaction de créer quelque chose de ses mains, ne fût-ce que mettre son poing sur une gueule qu'on n'aime pas, cela fait partie d'une vie bien vécue. Une vie qui en vaut la peine n'est d'ailleurs, comme le dit si bien le psaume, que souci et travail. Le reste, c'est de la merde. Sauf peut-être l'amour.

Je vais d'abord vous expliquer quelques petites choses. Il le faut. Je n'y peux rien. Sans ce préambule, vous seriez porté à tout confondre, et le récit aurait l'air d'une simple histoire de vagabonds et de putes. D'autant que l'action se passe dans un autre pays, avec une langue qui se laisse mal traduire. Ce sera vite fait, et cela vous permettra de faire connaissance avec le personnage principal, Negão. Allons donc à l'essentiel.

Negão veut dire « gros nègre », mais pas tout à fait. L'élision du r de « negrão », cette facilité phonique s'imposant à l'orthographe, adoucit infiniment le concept dans la langue portugaise, suggérant une bonhomie certaine, une sorte d'intimité. Par ailleurs, le superlatif indique la stature imposante du personnage, avec pour résultat un balancement rythmique du corps dans la démarche, un sourire franc, des gestes larges et fermes à la fois. Maigre, mais costaud. Mulâtre, sans être complètement noir.

Disons mulâtre foncé, pour simplifier les choses au lecteur peu habitué à remarquer la richesse des nuances dans la coloration des Noirs. Negão : du chocolat amer lorsqu'il tache le fond d'un poêlon en cuivre. Début de la trentaine. Visage glabre ; les yeux perçants quand il le faut, mais d'habitude taquins. Habillé en pauvre, avec des vêtements trop grands qui lui donnent l'air de tanguer comme un bateau à voile. Gros souliers rafistolés par un cordonnier pas avare en cuir, aux semelles épaisses qui doivent battre les rues et les champs ; histoire aussi de pouvoir sauter entre les pierres lorsqu'il le faut, ou d'appliquer un bon coup sur des couilles ennemies. Évidemment, un vagabond, mais avec de la classe. Et prêt à toutes les aventures que le destin voudrait bien lui offrir.

Negão était un marginal, bien entendu, mais il savait goûter la vie à chaque moment, au jour le jour, tout en gardant une petite distance envers les amis, les autres pauvres et la vie en général. Un solitaire pour tout ce qui compte. Philosophe à sa façon ; un tantinet pessimiste, certes, à force de devoir se cacher continuellement. Hélas, oui ! Notre homme menait une existence active, et ce depuis fort longtemps, toujours en train de sauter de côté pour éviter les assiduités des autorités en place.

Il jouissait, naturellement, du respect de ses pairs. De tous, depuis les camarades de dèche jusqu'aux prêtresses de la macumba*. Et il n'y avait pas de petit gigolo qui ne s'effaçât discrètement lorsqu'une fille éprouvait l'envie de lui faire goûter son petit bonbon. Negão était par ailleurs respectueux de la famille et des fillettes vierges. Il disait qu'une femelle n'est vraiment au point que lorsqu'elle décide de plein gré d'enlacer un mec entre ses cuisses. Ces histoires de séduction et de cour sont affaires d'oisifs, de timorés et d'éjaculateurs précoces. Une

---

*   Culte animiste afro-brésilien (rituel nago ou yoruba).

femme, disait-il, c'est comme un fruit : ça donne mal au ventre de le croquer vert. Tandis qu'une femme à point, qui a assez rêvé de son homme, celle-là tombe toute seule, mouillée comme une mangue bien rouge, sucrée et acide à la fois. Et ça fait bien dormir.

Voilà pour le respect. Il y a malheureusement le manque de respect, l'acharnement tiers-mondiste des forces de l'ordre dans un Brésil trop désordonné. Faut bien que les flics se démènent ; la vie est dure et les bonnes affaires sont éphémères. Surtout, la concurrence est féroce. Les pauvres s'obstinent à survivre, à partager le maigre gâteau, même s'ils n'ont aucune justification légale de leur bord. Il y a aussi ceux qui cherchent à s'organiser dans le seul but de priver les policiers de leur gagne-pain. Les putes, la drogue, les recels, les casses et les rançons sont ainsi de plus en plus pratiqués par toutes sortes de dilettantes.

En cet an de grâce 1972, avec la dissolution des mœurs qu'on connaissait, il y avait même des fils à papa qui braquaient des banques sous le prétexte absurde de financer la libération du prolétariat ! Des terroristes, bien sûr ; des dandys souffrant de spleen, gâtés par des idéologies complètement étrangères à la tradition chrétienne du pays. Et aussi des fillettes, qui empoignaient l'arme automatique au mépris de la bienséance, qui ne se gênaient pas pour tirer à la ronde, au risque de blesser des travailleurs ou des badauds. Les militaires, autrefois gardiens des valeurs, en faisaient autant, jouant bêtement aux justiciers et transformant les artères de la ville en champs de bataille. Une anarchie totale.

Les policiers jouissaient de ces écarts. Ils s'étalaient partout, arrogants et sûrs de leurs droits, en cognant plus fort encore sur le petit peuple et dominant entièrement le champ d'action des vagabonds. Désormais, ils pouvaient tirer à l'improviste. Le pauvre marginal qui s'occupait paisiblement à trafiquer ou à faire les poches d'un bourgeois, le voici criblé de balles et accusé d'être un terroriste ! Alors ses meilleurs camarades cherchaient à l'oublier. Son corps allait à la fosse commune, sans sacrements, ni cachaça* ni danse, car personne ne voulait se compromettre avec des terroristes en cette triste époque. Et le moindre sbire, autrefois méprisé et mielleux, se sentait alors autorisé à porter la mitraillette en bandoulière lorsqu'il entrait au bordel pour tirer son coup. Il y eut des scènes vraiment pénibles : on chassa les clients de maisons pourtant respectables pour qu'un commissaire de la police politique se fasse sucer par toutes les filles à la fois. Un énorme gaspillage !

Cette situation compromettait naturellement l'affabilité signalée tantôt lorsqu'il fut question du sourire de Negão. Au début de l'histoire, il avait les yeux cernés et trop perçants, l'air soucieux et la démarche vigilante. Le manque de respect flottait dans l'air lourd comme la poix. D'ailleurs, il faisait si chaud que, malgré l'heure matinale, le goudron collait déjà aux semelles des passants.

Nous sommes à Rio de Janeiro, une semaine avant le carnaval ; un jeudi de février, juste au lever du soleil. Le jeudi est un jour propice pour faire l'amour, mais Negão n'avait pas la tête à ça.

---

*   Eau-de-vie de canne à sucre.

1

Malgré son air endormi, Negão était tout entier en état d'alerte. Il ne se rendait pas compte de la chaleur étouffante du matin. Seule la viscosité dans ses mains restait bien présente à son esprit, répugnante et étrangère à la fois. Après avoir tué les trois hommes, il n'avait pas eu le temps de se laver. La bagarre, la fuite précipitée, le voyage nocturne qui lui avait permis d'échapper par miracle aux policiers étonnés, tout cela paraissait n'avoir été qu'un mauvais rêve. Ses mains étaient sales, craquelées, mais ça ne ressemblait pas à du sang. Il est vrai que le globe oculaire du commissaire Vigario n'avait pas saigné beaucoup. Juste un truc gluant qui avait giclé.

Sa tête travaillait toute seule, repassant les événements sans cesse de surveiller ses pas.

Comme une huître pourrie... ça colle longtemps, ça sent mauvais. Je suis content de moi... Trois d'un coup, c'est pas donné à n'importe qui. Hé, oui... Tu parles d'une vengeance! Mais quelle malchance! Tout à fait par hasard. Et pas dans mes habitudes. Mais Vigario l'avait cherché. L'ordure. Il se croyait si sûr de son affaire, si en sécurité dans le poste de police, si protégé par les deux autres flics qui violaient la fille dans la pièce voisine... Pauvre fille. Elle n'avait pas l'air d'une pute; plutôt une fille de bonne famille. Une étudiante, qui sait? J'espère que je ne l'ai pas touchée. Fallait faire vite. Si le mec ne s'était pas tourné au dernier moment, je les clouais tous les deux sur la table. Pas le choix… Pauvre fille… un viol et un cadavre plein de sang d'un seul coup, ça va lui couper l'envie d'homme pour toujours. Les ordures de flics ! Ce lâche de Vigario était vraiment à sa place dans la police politique. Un type sans scrupules, sans sentiments, une nature violente, un provocateur-né… Je suis content de l'avoir embroché avant de tirer. Un gros stylo d'avocat, aussi tape-à-l'œil que ses bagues de diamant. Et flac ! La gueule qu'il a fait !

Negão descendait lentement les escaliers de la gare, en surveillant l'arrêt des autobus à la recherche de visages ennemis. Il était en cavale, pas en voyage. Mêlé à la foule d'ouvriers qui arrivaient en ville, habitué à la clandestinité, il se déplaçait comme un pauvre. Seuls ses yeux s'activaient, pendant que son corps épousait le mouvement du flot.

Il faut que je me comporte comme eux, fatigué, résigné, endormi ; faut pas que je me montre. Mettons que j'attends aussi un autobus, avec les autres, pour aller au boulot. Surtout, du calme… pour prendre le temps de réfléchir. C'est certain qu'ils ne s'attendent pas à me voir arriver ici, à la gare, dans ce train matinal, comme si j'allais travailler. Peuvent pas penser que je me suis échappé aussi bêtement… Ça fait une éternité que je ne prends plus le train. Surtout celui-ci. Ce n'est pas mon chemin. J'ai toujours eu une auto pour revenir de Caxias*. Une bonne affaire, ce train rempli d'ouvriers. Maintenant, en ville, je peux respirer ; mais faut faire gaffe. Ils doivent me chercher partout. Trois d'un coup. Un scandale. Surtout trois flics de la DOPS**. Ça doit courir partout… Un grabuge du tonnerre… Peut-être qu'ils me cherchent seulement à

---

*   Ville principale de la plaine de Caxias, qui comprend aussi les localités de Belford Roxo, Meriti et Rocha. Cette banlieue misérable de Rio de Janeiro, au fond de la baie de Guanabara, est particulièrement réputée par son haut taux de criminalité.

**   Département d'ordre politique et social. Division de la police civile responsable de la répression et des tortures durant la dictature militaire.

Belford Roxo, ou dans la plaine de Caxias, à Meriti. Là-bas, il y a
beaucoup de place où se cacher, des gens qui me sont fidèles, des
copains… Mais on ne sait jamais, avec les copains. Si ç'avait été
une affaire courante, je n'aurais pas dit non. Mais trois flics d'un
coup, c'est une autre histoire. Plus aucun ami… Même les commu-
nistes se débarrassent de leurs copains qui ont tué un policier. Ou
des militaires. C'est trop chaud. Et puis il y a toujours ceux qui
acceptent de dénoncer, pour la paix ou pour le fric. La frousse. Là,
tu n'as plus de copain… tu ne fais plus confiance à personne. Un
gars peut vagabonder toute la vie ; si t'as de bons contacts, t'es sauvé.
Mais si tu deviens politique, là, t'es cuit. Même ton cul ne vaut plus
un rond. Essaie d'expliquer que ç'a été le hasard, la fatalité, que ça
n'avait rien de politique… Vigario, je le connaissais depuis le temps
qu'il était dans la brigade des mœurs et des drogues. Ça fait rien.
Maintenant il est l'un d'eux, et ils voudront venger ce gigolo. Negão
subversif… quelle blague ! Quelle connerie de merde ! Mais il l'avait
cherché, l'ordure, s'en prenant à ma Doralice. Peut-être bien que je
suis amoureux, après tout…

C'était quand même curieux de voir un personnage comme
Negão sortir de la gare Leopoldina, arrivant par un train de banlieue comme un pauvre ouvrier, avec son gros sac de toile et sa
veste mouillée de sueur. Tout sérieux, il dépassait les autres, et
n'avait pas le dos courbé ni l'allure ensommeillée des ouvriers le
matin. Il guettait. Et l'heure était si matinale. Un gars comme
lui dormait d'habitude à ce moment de la journée. Negão était
un nocturne, de ceux qui aiment prendre un verre et se chauffer contre le corps d'une femme. Et avec l'approche du carnaval,
un type joyeux a toujours de quoi s'occuper, une fête où aller, de
la musique… Ces choses-là allument les yeux des femmes d'un
éclat tout à fait charmant. Impossible de leur dire non.

Le plus curieux, cependant, c'était de le voir faire la queue
avec les gens pour monter dans l'autobus. On aurait pensé qu'il

allait plutôt prendre le chemin de la favela Joie de Vivre, juste en face, trônant sur le port. C'était là, en effet, qu'il habitait la plupart du temps, depuis des années. Il s'était d'abord lié avec une cuisinière, lorsqu'il travaillait encore dans le port, à l'époque où il venait d'être libéré de la prison pour mineurs. Sa robustesse lui avait permis d'en sortir à dix-sept ans, avant même le service militaire, pour travailler comme débardeur. Les ports sont des endroits pleins de promesses et d'avenir. Negão s'était fait de bons amis. Et il avait tellement ressenti le goût du large qu'il avait pris effectivement le large, sans même s'occuper du service militaire. Il n'était pas une nature passive, vouée aux casernes.

Avec ses copains du port, il était vite passé de la rapine aux trafics sérieux. Mais sans jamais quitter sa cabane à la Joie de Vivre. Sa cuisinière avait cédé la place à d'autres plus jeunes, qui à leur tour avaient poursuivi leur propre destin. Negão n'avait travaillé qu'un certain temps, naturellement, histoire de faire ses preuves et de se placer dans la vie. Il n'avait pas non plus la nature lourde des autres pauvres. Un vrai rêveur, presque un artiste. Musicien aussi, ça va de soi, quoique son plus grand regret fût de ne pas savoir jouer convenablement de la guitare. Ses doigts étaient trop gros, osseux, peu propices à ce geste délicat de caresser les cordes. Il en tirait un bon rythme, mais ce n'était pas de l'art. Negão aimait les choses bien faites. Comme avec les femmes, disait-il : « Il ne suffit pas de les faire jouir pour se dire artiste. Il faut en plus qu'elles chantent. Les faire rire au lit, c'est ça le plus mystérieux. » Negão se contentait alors des bongos et d'autres percussions où il pouvait se laisser emporter. Mais dès qu'une guitare était libre, il la grattait maladroitement, l'air toujours un peu triste. C'était émouvant de voir les efforts que faisait la guitare pour bien gémir sous les doigts de Negão. Peine perdue ; il finissait par la lâcher. Sauf si un chant montait de sa poitrine de basse… Il ne se rendait pas compte qu'il chantait bien. Selon lui, chanter n'était pas un art, mais une fonction corporelle pour exprimer certains besoins. Comme le fait un oiseau.

Ce matin-là, il n'avait pas le goût de chanter. Il guettait. Il attendait l'autobus comme on attend une bagarre.

La Joie de Vivre est là-haut, qui se réveille comme une fillette, endormie et humide. Ma cabane est déserte. Mais pas pour longtemps. Ou bien les flics sont déjà venus tout casser. C'est bien évident qu'ils ne me trouveront pas là, je ne suis pas fou. Mais ils vont y aller quand même ; ils n'ont que ça à faire. Pour se montrer, pour humilier les voisins, pour boire sans payer au comptoir du Juca, pour montrer leur pouvoir… Peut-être aussi pour arrêter des gens, pour régler des comptes maintenant qu'ils peuvent tout encercler sous prétexte qu'ils cherchent un subversif. Les ordures ! Ils vont sûrement monter un grand coup. Ils vont me mettre à dos tous mes compères. Pour m'isoler, puis m'accuser de toutes sortes d'affaires. De leurs sales affaires… C'est drôle, dans cette file tout le monde a l'air endormi. Sauf que je sens la tension dans l'air. La Joie de Vivre paraît aussi très tranquille… Qui sait si je ne suis pas simplement nerveux. Et si je prenais le risque d'y aller pour récupérer mes fringues ? Ils ne savent pas avec certitude que c'était moi. Seul Vigario me reconnaîtrait et il est mort. A-t-il eu le temps de tout raconter aux autres à mon sujet ? Ça s'est passé si vite que je ne peux pas en être sûr. Prendre le risque ? Le rasoir neuf, mon colt 45 et les chargeurs, quelques vêtements… Ça vaudrait la peine. J'aime bien ce rasoir neuf. Et puis je suis habitué au colt. Le 38 de Vigario est trop petit dans ma main, trop léger ; presque un jouet. Il ne reste que trois balles. J'ai quand même la mitraillette dans le sac… Sa lourdeur me rassure. Sinon, je me sentirais nu. Mais c'est peu pratique, une mitraillette. Si je la sors du sac, ça fera un scandale. Ça tire trop vite ; ça gaspille, sans trop de résultat. N'empêche que j'ai eu de la veine de la trouver là, toute pimpante sur la table à côté de la fille.

Les salauds lui avaient fait sans doute peur avec l'arme pour qu'elle ne se mette pas à crier… Maintenant, ils se font enculer en enfer. Est-ce qu'ils savaient des choses sur moi? Ils ne devraient pas. Vigario n'avait pas intérêt à les mettre au courant; même qu'il m'avait pris à part, comme un copain. Les deux autres ne se doutaient de rien. Il m'a reconnu, c'est tout. Ça ne disait pas qui j'étais. Et puis Vigario a tant de relations… Ils doivent me chercher à Meriti ou à Caxias… Peut-être même plus loin. Ils doivent croire que j'habite la plaine. Peuvent pas penser que j'étais seulement de passage. Quelle veine, et quelle merde! Rien pour faire plaisir à Doralice. Et puis il fallait bien que Vigario soit dans le coin, le salaud. Et qu'on parle de Doralice… Doralice est un croisement de chemins. La Noire Ofelia l'avait bien dit… On a beau rire, Ofelia finit toujours par avoir raison. Une Noire ensorcelée… Je regrette surtout le rasoir tout neuf, bon pour la barbe. Je l'ai toujours bien soigné, je ne l'ai jamais utilisé dans les bagarres. Et maintenant, il va servir à raser un flic. Mon vieux rasoir aussi, avec son manche de nacre. Dommage pour lui aussi. Sa lame noircie a quand même fait pâlir bien des mâles orgueilleux… Et puis il était si habitué à ma poche… L'autre, tout brillant, à la lame blanche comme de l'argent, acier étranger… il est peut-être encore là-haut, qui m'attend. C'est bien fait; ça m'apprendra à m'attacher aux choses. Pour le colt, c'est différent; c'est un outil de travail. Je pourrai toujours en emprunter un. Les gens sérieux savent que je prends bon soin d'un instrument. Je devrais aller faire un tour, rien que pour m'informer, pour sonder les voisins… Je n'aime pas que, même mort, Vigario me dise quoi faire. Je devrais y aller, juste pour cracher sur son âme, pour la narguer. Parce qu'il serait sûrement le premier à penser à la Joie de Vivre. L'ordure…

Heureusement qu'à ce moment précis l'autobus arriva et que, avec l'empressement de moutons allant à l'abattoir, les membres des classes laborieuses forcèrent Negão à monter en même temps qu'eux. Un autobus du matin. Pour aller au travail, il n'y a que ça qui fait courir le peuple. Dans la bousculade et la multitude se pressant vers l'intérieur, Negão se laissa bercer par les visages endormis et se retrouva debout, au milieu du véhicule, coincé entre un appuie-bras, un petit bonhomme presque chauve qui puait l'oignon pourri et une mulâtresse à peine sortie de l'enfance. Toute maigre, avec ses petits tétons trop en forme de bec d'oiseau, mais déjà habile à se placer de biais contre la cuisse du mulâtre. Pas bête, la fillette. Pour ce long voyage jusqu'à l'autre bout de la ville, tant qu'à se faire frotter, autant que ce soit par Negão. Il attirait les femelles sans même le vouloir, malgré lui ; c'était une sorte de don physique. Un peu endormie, elle allait pouvoir se coller à son dos comme contre un arbre. Cela ne faisait pas l'affaire de Negão. Le 38 dans sa ceinture formait une bosse et, si la petite y glissait ses mains, elle allait sentir une autre sorte de canon. Il se déplaça alors, changeant de jambe pour se donner en biais, et la revoilà contente, presque montée sur la cuisse droite de Negão, prête pour le voyage. Elle devait sûrement penser que Negão portait à droite, et qu'il s'était placé en conséquence. Mais il portait à gauche ; le revolver aussi. Il libérait ainsi la main de la petite pour lui donner un meilleur équilibre, pour qu'elle n'ait pas à l'enlacer lors des arrêts brusques du véhicule.

Pas moche la petite, bien au contraire. Elle s'appelait Gloria et était bonne à tout faire de son état, dans une maison riche sur la rue du Jardin botanique. Dix-neuf ans mais en paraissant quinze à cause d'une anémie de longue date qui lui bouffait les formes sans tarir le feu. D'ailleurs, son patron, un vieux monsieur… Mais on s'égare. Oublions cette petite ; elle n'a rien à voir avec l'histoire. Ses petits seins, même son nom, tout cela est trop commun. Il y en a des milliers, tout comme les autres passagers de l'autobus : des gros et des maigres, des grands et des petits, de toutes les couleurs, tous endormis. Mal baisés par la vie. Seul le chauffeur paraissait vivant, qui chantait à haute voix, freinant brusquement à tout moment, pour tasser les passagers vers le fond et faire encore de la place. Aux feux de circulation qu'il ne pouvait pas brûler, il bavardait avec les autres chauffeurs, leur criait des obscénités ou les défiait à la course. Malgré son chargement de bétail, il avait l'air de trouver la vie belle et il donnait un rythme bien national aux tangos qu'il vagissait de sa voix trop cassée. Sa serviette nouée autour du cou, sa chemise complètement ouverte et son pantalon retroussé sur les genoux lui donnaient l'air d'un personnage d'opéra balkanique. Un vrai fauve du volant, ce chauffeur qui conduisait l'autobus tout rouillé et rempli à craquer à une allure vertigineuse le long du canal Mangue. Le soleil chauffant la toile de la carrosserie transformait la sueur abondante en vapeur de sauna et en colle. Seuls les cris du conducteur et les décorations du carnaval défilant derrière les fenêtres empêchaient les voyageurs de tomber dans le coma.

2

Negão était vraiment en danger, il ne se trompait pas. Sauf qu'il lui manquait une information de taille, laquelle d'ailleurs lui aurait causé une profonde tristesse. Il n'avait pas tué trois flics, mais seulement deux. Vigario, le salaud, il l'avait raté. Être blessé aux couilles, c'est pire que mourir, direz-vous, mais ce n'est pas mourir. Il allait en fait survivre doublement borgne, de l'œil droit et du testicule gauche. Et cette asymétrie ne ferait qu'augmenter plus encore sa méchanceté naturelle, sa hargne contre l'humain. Ce n'est pas que je pense comme Juca, le gars de la buvette de la favela Joie de Vivre, qui affirme que les testicules sécrètent une hormone adoucissante. Je ne sais pas s'il le croit vraiment ou s'il le dit aux femmes dans le seul but d'arriver à ses fins lubriques. Juca a d'ailleurs beaucoup de succès auprès des femmes mûres souffrant de migraine. Sacré Juca, un bon copain de Negão : Juarez Alverio de las Casas, Galicien d'origine qui n'a pas réussi à faire fortune dans le Nouveau Monde. Trop amateur de son propre alcool pour en faire un profit substantiel, il gère tout de même sa buvette où l'on déguste aussi des sardines grillées et des croquettes à la morue, au milieu du chemin qui monte à la Joie de Vivre. Il venait tout juste d'envoyer un petit garçon faire le guet en bas de la pente afin d'avertir Negão que les flics étaient déjà dans sa cabane. Peine perdue, Negão avait pris l'autobus en direction du sud de la ville dans l'espoir de prendre quelques contacts, le temps de respirer un peu et de se trouver une planque.

Vigario allait donc vivre. Comme une bête fauve, carnassier, plus méchant encore. Il est devenu Le Borgne. Cette épithète, il ne la trouve pas ridicule, bien au contraire. Il porte depuis lors un cache noir, comme un pirate. Sa marque de commerce pour terroriser ses victimes. Surtout les filles. Il se réjouit toujours de leur montrer l'orbite creuse où gisent des paupières affaissées comme une huître sèche.

Ce n'est pas la perte du testicule qui a augmenté sa méchanceté, car il assure que le docteur a eu la bonté de greffer toute la puissance sur celui de droite, une opération sûrement analogue au réglage d'un carburateur. Les pauvres filles des bordels n'ont jamais eu le courage de le contredire et personne d'autre n'a eu l'occasion d'inspecter la fameuse glande survivante. Il n'aime pas les quolibets de ses collègues de travail, accompagnés en général de clins d'œil et de singeries de boiteux : « diagonale », « bite à cane blanche », « varicocèle », « chapon », « pied-bot », « torticolis », et plusieurs autres au caractère bien plus profane. Ces gentillesses, dans la bouche d'autres policiers souvent plus costauds que lui, aigrissent Vigario, car il est d'une nature craintive lorsque son adversaire ne se trouve pas menotté et sous la surveillance d'une arme. Il fait donc semblant de ne pas les entendre ou esquisse un sourire jaune. Mais ses victimes connaissent ensuite le poids de sa vengeance, d'où l'accroissement démesuré de sa cruauté.

Cette survie inopinée, cette erreur de jugement de la Providence compromettait les chances qu'avait Negão de s'en tirer, lui qui croyait toujours l'avoir tué. Il allait donc en toute innocence, supportant maintenant le poids entier de la petite mulâtresse affaissée qui paraissait dormir et dont seule la respiration asthmatique suggérait peut-être une intention libidineuse.

Dans cette position propice à l'échange de sueurs abondantes, Negão pensait à Doralice.

Mon petit con... ma peste de petite pute! Cette escapade à Meriti n'était pas dans mon programme. Mais elle avait une façon si douce de me parler de sa vieille tante... Elle n'avait pas menti sur la beauté des jardins. C'est beau, quelqu'un qui a la main pour les plantes. C'est vraiment comme une forêt là-bas ; et puis ça attire les papillons, les oiseaux, comme si on était très loin de tout ce monde triste. Comme si nous étions d'autres personnes, dans une autre vie. Dalice est drôle... son air de petite fille lorsqu'elle veut faire plaisir... pour dire qu'elle est amoureuse. Comme ça. Sans que je m'en rende compte, elle est entrée dans ma peau. C'est la première fois que je pense à une fille de cette façon... Une tristesse douce, nostalgique, avec le parfum de sa bouche, puis cette envie de m'occuper d'elle. À quel moment précis j'ai basculé ? Avant elle n'existait pas, comme les autres filles. Je la remarquais à peine... et je confondais son nom avec ceux des autres. Même que je n'avais pas trouvé très bonne cette première nuit que nous avons passée ensemble. Elle paraissait un peu nerveuse, tendue... Le sommeil ne venait pas, et j'avais parlé. Sa petite bouille écoutait si attentivement et ses yeux voulaient tout savoir. Rien que des choses du temps de mon enfance. Mes histoires l'amusaient davantage que faire l'amour. Comme une petite sœur. Pas tout à fait femme pour le lit, plutôt une camarade qui semblait avoir envie de se promener dans mes aventures. Une espèce de petit garçon manqué... Et comment qu'elle m'a accroché ! Vigario le savait, il avait toujours son nez partout. Il avait des informateurs dans toutes les maisons du Mangue. Sûrement qu'il était amoureux d'elle. Jaloux, dépité, sinon il n'aurait pas osé me parler comme il l'a fait. Me manquer de respect d'une façon si évidente. Il paraissait sûr de son coup, sûr qu'il me tenait. Là, je ne me fais pas d'illusion : c'était lui ou moi. Après notre conversation, il ne pouvait plus me laisser au large. Trop lâche. Il savait que je viendrais le chercher, tôt ou tard. Sauf que je me serais mieux organisé. C'est comme ça que je sais que je suis amoureux : impulsif, trop impulsif. Mais la précipitation et la rage m'ont peut-être sauvé la peau... Sans la colère soudaine, je flotterais maintenant dans les marais de la plaine... Coup de chance. Dalice...

Negão avait ainsi évoqué le nom de Doralice pendant que l'autobus longeait le canal Mangue, aux environs de la brasserie Black Princess, celle qui produit la bière connue sous le nom de «portugaise ventrue». Ce n'était pas la brasserie qui l'avait amené à penser à Doralice, d'autant plus qu'il ignorait tout de la langue anglaise et qu'il croyait — comme d'ailleurs la plupart des habitants de la ville — que Black Princess voulait dire «portugaise ventrue» dans une de ces langues anciennes utilisées par les curés et les avocats. Non, il avait pensé à elle parce que c'est derrière ladite brasserie, dans les ruelles transversales attenantes à l'avenue Vargas, que se situe le Mangue. Le Mangue, qui porte le même nom que le canal boueux, véritable égout à ciel ouvert. Ce Mangue est la zone des bordels populaires de la ville de Rio de Janeiro. Une très grosse zone d'ailleurs, possiblement sans pareille dans toute l'Amérique latine. On dit qu'en Orient — Hong-Kong, Calcutta, ou quelque part dans ces contrées-là — il y a des zones de prostitution plus étendues encore que le Mangue. Peut-être, je ne dis pas le contraire. Mais sûrement pas aussi agréables. Les Chinois ne seront pas d'accord, en tant que Chinois, et c'est leur droit. Mais pour un Brésilien, seul le Mangue peut offrir ce qu'on est en droit de s'attendre, côté bonnes femmes. L'amour, c'est comme la cuisine ; seules les choses habituelles nous contentent vraiment : les épices qu'on connaît depuis toujours, les petites senteurs de son enfance. On a beau goûter aux choses exotiques par curiosité, on revient toujours aux valeurs sûres. Mais voilà une question de goût qui risque encore de nous faire divaguer.

Negão était en train de vivre des émotions fortes, vraisemblablement amoureux, en fuite dans un autobus bondé de monde en pleine chaleur de février, coincé contre une jolie créature soupirante. Comme l'autobus passait si près de son amoureuse, il était bien naturel qu'il parût ému.

Il l'appelait affectueusement Dalice, même s'il ajoutait qu'elle était une « peste de petite pute ». En effet, Doralice n'était qu'un pseudonyme de travail, puisqu'elle exerçait le métier de Madeleine dans une maison close du Mangue. Une très jolie créature, délicieuse et attendrissante ; dans les dix-huit ans, mais avec la maturité des chairs et une certaine indolence de femme allant plutôt vers les vingt-neuf. Jeune, mais déjà bien malléable, longue et légèrement rouquine. Pas plantureuse, non ; maigre, avec de jolis tétons et des fesses adorables. Pas masculine non plus ; en marchant, elle attaquait le sol par la pointe des pieds à peine tournés vers l'intérieur, ce qui donnait un mouvement harmonieux aux hanches et au creux des reins. La peau d'un rose cuivré où l'on pouvait passer des nuits entières à compter les étoiles des grains de beauté. Une petite bouille souriante qui éclatait en rires cascadés à l'improviste, et avec une sonorité dans la voix… Un peu timide, certes, ce qui ne lui valait pas beaucoup de succès auprès de la clientèle. Les hommes optent plutôt pour les assiettes pleines, les gros culs, les tétons bien fournis, les mines ouvertes et, pourquoi pas, un tantinet vulgaires. Ce n'est pas tous les jours qu'on va au bordel, n'est-ce pas ? Et pour la timidité, celle qu'on a chez soi, dans le lit conjugal, suffit. Mais Doralice avait ses clients, ne vous inquiétez pas. Le plus curieux, c'est qu'un personnage grossier de la trempe de Vigario ait pu s'intéresser à elle. Peut-être son aspect fragile excitait la brute, sa timidité rassurait le lâche, son air rêveur et ses sourires juvéniles faisaient vibrer le pervers. L'âme humaine est insondable, surtout lorsqu'elle se spécialise dans la haine de son semblable. Par ailleurs, tous les spécialistes le confirmeront, le cul est un lieu géométrique de topologie variable, mouvante, se situant en dehors de la raison et de la lutte de classes…

3

Rien ne paraissait lier le mulâtre et la rouquine, deux personnes si différentes, deux vies si opposées. Lui, un vagabond, libre d'aller et de venir, aimé et craint à la fois, ayant pour seul souci celui de se promener sans rien devoir à personne. Elle, une fille timide et prisonnière de sa destinée, devant se vendre et souvent s'humilier pour survivre, sans connaître grand-chose de la ville ni de la vie. Et pourtant, ils se rejoignaient quelque part, dans le rêve et le goût des fantaisies. Deux natures adolescentes, avides, romantiques, chacune à sa façon.

L'approche du bateau de Negão au port de Doralice fut lente, hésitante. Mais après une période de regards langoureux entrecoupée de plusieurs tentatives de fuite de la part du mulâtre, la fillette savait qu'il était charmé. D'abord, il se faisait assidu à la maison de madame Quinina — une vieille, amère comme un remède aux moments difficiles, mais bienfaisante comme une nonne à l'égard des filles qui étaient sous sa protection. Et voilà que Negão passait sous tous les prétextes, pour un brin de conversation, restant parfois un peu plus longtemps pour faire de la compagnie, tout en riant de ses propres histoires comme un petit garçon. Histoires, souvenirs et inventions qu'il évoquait d'ailleurs à tout moment, inopinément, pour le simple plaisir de la voir rire. Pas seulement elle, évidemment, puisque les autres filles, Paulina, Tanajura, Maria de Deus, Terezinha de

Jésus, Suzana, Jojo, Justinha Chochota, toutes enfin se délectaient aussi de la présence rassurante du vagabond. L'assiduité de Negão devint notoire, et l'on se demandait s'il n'avait pas simplement décidé de s'associer à la tenancière pour s'établir comme gigolo absolu de cette ruche. Les autres hommes boudaient en privé, faisaient des crises de jalousie à leurs filles, les menaçaient des pires tragédies, mais en fait ils laissaient faire Negão par crainte de devoir l'affronter. La maison ressemblait de plus en plus à une famille. On percevait la cour du mulâtre, mais trop timide, imprécise, presque sans intentions, plutôt à la façon d'un homme qui rend visite à ses nombreuses sœurs. Il restait parfois à coucher. Souvent sur l'insistance d'une des filles, à reculons, comme s'il avait peur de déranger. Jamais avec Doralice. Celle-ci se contentait de lui faire des jolis sourires complices. Il la regardait, quelque peu gêné, avec un air de s'excuser, et accompagnait soit Tanajura, soit Justinha Chochota vers une chambrette. Toujours une des plus vieilles. Il évitait soigneusement la petite Jojo, Suzana ou Terezinha, les plus jeunes, qui étaient d'ailleurs les meilleures amies de Doralice. La rouquine ne disait rien ; elle paraissait trouver cela bien naturel. Mais, de son côté, elle ne recevait pas de client en présence de Negão.

Tout le bordel finit par s'en rendre compte, à commencer par Greta Garbo, le travesti qui aidait madame Quinina à tenir maison. Un excellent cuisinier, ce Greta Garbo. En plus d'être phénoménalement doué pour les travaux ménagers, il avait une langue débridée. Je veux dire qu'il était bavard, trop bavard, quoique sa langue fût par ailleurs aussi débridée dans d'autres domaines. Sa réputation n'était plus à faire, et maintes fois des messieurs très respectables s'arrangeaient avec madame Quinina pour rencontrer discrètement le cuisinier, au détriment parfois de la ponctualité des repas.

Greta Garbo, fin psychologue, connaisseur d'hommes par amour et par besoin, finit par vendre la mèche. La gent femelle décida de rapprocher le couple de timides et même les gigolos se mirent de la partie, rassurés et redevenus très amicaux envers Negão. Cela se traduisit immédiatement par une baisse de la clientèle auprès de Doralice, qui était dorénavant une sorte de protégée de la maison. Seuls quelques vieux clients lui étaient encore fidèles ; des étreintes vite achevées, mécaniques, parfois même quelque peu nerveuses à cause de l'ombre jetée par le mulâtre costaud.

Ce fut à ce moment-là que Vigario s'intéressa à Doralice. Ils n'avaient pas eu de relations auparavant ; c'étaient deux natures trop distinctes. Il se peut que Greta Garbo ait joué un rôle d'instigateur dans cette affaire. Trop bavard, il était habitué à rendre des comptes depuis très longtemps à Vigario, sûrement depuis l'époque où le policier était encore à la brigade des mœurs. Les mauvaises langues avaient même fait circuler des rumeurs concernant certaines tendances homophiles chez Vigario ; et l'on avait cru que Greta Garbo, alors plus jeune et à peine sorti de la virginité, pouvait être le poulain du commissaire. Il était certes l'invité indispensable des séances de délation tenues dans la ferme du policier. À l'époque, Vigario avait l'habitude d'embarquer plusieurs travestis, pour enquête et leçons de mouchardise qui duraient parfois assez longtemps. Gesualdo Piroca, lui aussi sous les ordres de Vigario — celui-là même qui avait été tué par un homosexuel à Copacabana, l'été précédent —, et Jaco Chapeleta, devenu par la suite témoin de Jéhovah, assistaient souvent à ces séances de « formation en cours d'emploi ». Les rumeurs d'agissements pervers dans la ferme du policier furent l'œuvre de deux invertis des plus scandaleux, Jaky et Lulu ; sauf que leur témoignage ne put être pris au sérieux, d'autant plus qu'ils furent trouvés morts, tous les deux, criblés de balles dans les marais. Pacte de suicide, fréquent, on le sait, chez ces natures déraisonnables. Avec leur disparition, les rumeurs cessèrent et même Greta Garbo tint sa langue vipérine durant quelques semaines.

Les agents des mœurs sont souvent victimes de ces racontars. Le fait est connu : on accuse ceux qui œuvrent aux stupéfiants d'être mêlés au trafic des drogues, ceux de la criminelle sont soupçonnés de meurtres ou de recels, et l'on va jusqu'à calomnier ceux de la protection des mineurs en disant qu'ils abusent des enfants. Racontars et billevesées de jaloux et de subversifs. Sinon comment le citoyen pourrait-il encore croire à l'intégrité de nos institutions ? Il y a peut-être eu des abus dans le passé, mais de là à penser que Vigario ait été pédéraste… Il est vrai que Greta Garbo informait Vigario malgré lui et que ce dernier en tirait profit. On ne peut pas en dire plus. Même la mort de Gesualdo Piroca, assassiné par un homosexuel, avait été considérée comme un accident de travail. Du reste, sa pauvre mère recevait désormais une pension du gouvernement : pour les services rendus par son fils au champ d'honneur.

À force de bavardages, Greta Garbo dut allumer chez Vigario le désir de connaître celle qui séduisait un homme de la réputation de Negão. Certains individus sont ainsi faits qu'ils veulent à tout prix se mesurer aux plus forts et qui, trop veules, sont malgré tout condamnés à faire continuellement face à des rivaux démesurés. Vigario était porté à avoir de telles faiblesses de jugement. Durant son enfance, au séminaire des frères salésiens, il avait d'ailleurs reçu plusieurs raclées à cause de ses attitudes provocatrices. Sauf que sa mutation à la police politique lui était montée à la tête et il voulait peut-être alors se venger de toutes les humiliations passées. S'emparer de la femme promise à Negão, voilà ce qu'il convoitait. Car tout le monde la savait promise. Seul Negão ne s'était pas encore rendu à l'évidence : ils s'aimaient comme des fiancés.

Vigario, un type arrogant qui se complaisait dans le mépris de son semblable et qui depuis les bancs d'école avait pu bénéficier de la protection de ses supérieurs. Un fat : grassouillet, court de taille, les doigts remplis de bagues, cravaté en costumes trop étroits mais soyeux, se vantant à tout propos de ses études de droit qu'il avait interrompues en première année d'université pour aller là où le devoir l'appelait : la police. Tout à l'opposé de Negão. Le commissaire Vigario, un citoyen honorable, gardien des mœurs et de la démocratie.

En vieil habitué, Vigario rendit ainsi visite à madame Quinina. Si cet honneur laissait la tenancière un peu mal à l'aise, il n'en constituait pas moins une marque de prestige étant donné que le commissaire de la police politique n'arrivait pas sans parements. Il aimait se faire voir, dominer le décor et aussi se sentir bien protégé. Les subversifs étaient dangereux à cette époque. De vrais fous. Et c'est en pensant à ces ennemis qu'il avait fait en sorte que la fourgonnette et le chauffeur restent bien en évidence devant la porte durant tout le temps de la visite. Or, une voiture noire de la DOPS, aux vitres grillagées, ne passe pas inaperçue dans la rue principale du Mangue où la circulation est interdite aux véhicules automobiles. Les vendeurs de pop-corn, de barbe à papa et de grillades s'écartèrent respectueusement tandis que le cortège habituel des clients passait tout droit, ce qui fut très néfaste à la bonne marche des affaires de madame Quinina. Les autres filles, rassurées de ne pas être l'objet de la visite, se dispersèrent un peu partout dans le quartier pour changer d'air en attendant le départ du policier. Seule Doralice dut rester. Vigario put alors l'observer à loisir tout en prenant des poses et en racontant ses exploits à la patronne. Par quelques questions habiles, il s'informa sur cette nouvelle fille qui n'était pas encore dans le métier lorsqu'il s'occupait des mœurs. On ne peut pas nier qu'un personnage si important ait fait une forte impression sur Doralice. Et puis Vigario savait être drôle. Le vide de la maison aidant, Doralice s'approcha comme une petite bête curieuse, pour rire elle aussi, pour tenir compagnie. Madame Quinina servait la bière avec cérémonie. Doralice prit un demi-verre, posa timidement quelques questions pour inciter Vigario à continuer. Elle le trouvait même sympathique à la fin. Elle était mignonne, la Doralice, et son rire si charmant rafraîchissant l'après-midi, tous deux se retrouvèrent dans la chambre. Rien d'étonnant à cela, c'était son travail ; et puis un monsieur si distingué... En plus, ça semblait faire plaisir à madame Quinina.

Ce ne fut ni bon ni mauvais ; plutôt long. Mais Doralice connaissait son boulot : si le client prenait trop de temps, s'il n'avait pas suffisamment d'appétit, tant pis, il fallait quand même qu'il en ait pour son argent. Autant être gentille, y mettre du sien, par pure conscience professionnelle. Elle le fit à sa façon, garçonne, un tantinet maladroite, sûrement gênée, mais décidée. Le policier fut si satisfait qu'il n'eut même pas besoin de lui donner quelques taloches. C'était sa façon de posséder une femme. Celles qui le connaissaient avaient toutes goûté à sa médecine.

— Deux ou trois baffes, un peu de vigueur dans l'entregent, voilà ce qu'une créature attend d'un vrai mâle, disait-il. Ça les ramollit.

C'est pour cette raison que toutes les filles étaient parties très contentes, lorsqu'il avait annoncé la raison de sa visite :

— Pour voir s'il y a de la chair fraîche.

Avec Doralice, tout se passa bien ; les coups attendraient une occasion ultérieure, lorsqu'ils seraient nécessaires pour allumer le feu morne et parfois capricieux du docteur Vigario. Il la rudoya un peu, machinalement, plutôt par habitude, pour effacer les traces d'intimité ; histoire de garder ses distances. La petite n'avait pas besoin d'être rappelée à l'ordre ; elle paraissait connaître sa place. Cette pensée rassura le vaniteux, qui, confondant l'amour du métier avec l'amour d'une femme, repartit en sifflant. Sans payer, ça va de soi.

— Je n'ai jamais payé de femme. Un vrai homme prend. La jouissance qu'il offre est une rétribution suffisante, avait-il l'habitude de proclamer à ses subalternes.

La semaine suivante Vigario revint à la charge. Cette seconde visite ne se passa pas aussi bien que la première. Doralice paraissait distante, pensive, distraite avec une quelconque préoccupation étrangère au métier. Elle fut polie et timide comme toujours, mais tiède à la besogne. Attitude du reste fatale au désir fuyant du policier : bite molle, froideur aux couilles, aigreur d'estomac, migraine, sueurs abondantes entre les fesses, tout ça d'un coup, pour humilier l'amour-propre de l'arrogant. Tirée par les cheveux, la main potelée aux bagues blessantes écrasée sur la bouche, Doralice dut subir toutes sortes d'insultes, en sanglots, à quatre pattes devant le bachelier ; des grossièretés telles que même Greta Garbo n'en oserait pas proférer devant madame Quinina. Et la Garbo en connaît pas mal, surtout pour désigner les femmes. La petite se plia aux ordres. D'autres gestes virils et gaillards du commissaire finirent par lui rapporter une demi-érection qu'il mit aussitôt à profit dans une chevauchée longue et haletante, interminable. C'était pire que traire une vache maigre. Mais comment protester ? Mieux valait faire un effort, jouer les filles gentilles et excitées, sinon il ne finirait jamais.

Une fois encore Vigario confondit la peur et le respect et il sortit de la chambre en se sentant plus viril qu'auparavant. À madame Quinina qui l'attendait au vestibule, inquiète, il esquissa un sourire appuyé d'un coup de langue sur les gencives, comme s'il se nettoyait les dents après un bon repas.

— À l'avenir, je m'occupe de la petite salope. Fais-la pas travailler trop, pour pas gâcher la fraîcheur, dit-il en remontant ses couilles d'un geste distrait.

— Que le Bon Dieu vous garde, docteur Vigario, à la prochaine, répondit madame Quinina avec sa politesse habituelle. Des dizaines d'années de combat lui avaient appris à cacher ses émotions, à serrer le cœur, à fermer le robinet des larmes. C'était plus difficile cette fois-ci. Doralice et Negão formaient un si joli couple… Elle savait par une longue expérience que Doralice allait être traitée comme une esclave, pour être ensuite jetée comme une guenille sale.

D'aucuns s'étonneront de tous ces sentiments et scrupules. Ne s'agissait-il pas d'une pute ? Ne sont-elles pas soumises naturellement à ces humiliations chaque jour et de leur propre gré ? Sauf qu'une pute est aussi une femme ou, plutôt, elle est femme avant d'être pute. En fait, à moins d'être pervers, le client ne va pas au bordel pour la pute. Il y va pour la femme, la copine, l'amoureuse, la petite ou la grande sœur. Il y va pour l'amour. Même s'il ne l'avoue pas, même s'il le niera toujours. Et dans les étreintes conjugales les plus pudiques et routinières, voilà que la pute est dans le rêve, camarade et amoureuse, fournissant l'énergie colossale parfois nécessaire pour faire jouir après des années et des années de mariage. On leur doit au moins de la considération pour une tâche aussi noble. Et puis, merde, pourquoi battre une fille lorsqu'on n'arrive pas à bander ?

Et Doralice était une des filles les plus adorables aux yeux de tous. Moi-même, avec toute la distance nécessaire à un labeur littéraire, je ne peux pas vous cacher qu'elle me laisse ému de nostalgie. Pour tout dire, je l'aurais épousée sur-le-champ. À l'église ! Pas seulement moi ; plusieurs autres, et pas des moindres. Il y a des choses que le langage n'arrive pas à communiquer. J'ajoute seulement, à l'intention du lecteur érudit, que Doralice, tout en étant très tropicale, était aussi du genre qui enroule son châle sans un seul mot pour vous accompagner à pied dans la longue route vers la Sibérie. Et pas triste, ni mélancolique ni béate. Non, avec le sourire juvénile, en chantant et trouvant très drôle de ne rien avoir à manger.

C'est ainsi que Negão n'avait pas résisté lorsqu'elle lui avait demandé de l'accompagner pour passer la fin de semaine chez sa tante Raimunda, à Meriti. Il y avait là un jardin de rêve, touffu comme une forêt, peuplé d'oiseaux et de fleurs ; une véritable oasis dans cet enfer de la plaine de Caxias. Un truc sans queue ni tête, complètement contraire aux habitudes du mulâtre. Non seulement il avait accepté, mais cette idée l'avait excité comme s'il était un adolescent. Aller en visite chez la vieille tante, pour voir des fleurs ! Negão n'avait jamais eu le temps de vivre des amourettes de jeunesse ; il avait consacré toutes ses énergies à survivre, à se battre, à se faire une place dans le monde.

4

Quelques jours après la malencontreuse visite de Vigario, les deux amoureux partaient de bonne heure vers Meriti. Le chauffeur de taxi Pindoca était l'homme idéal pour ces occasions. À ses yeux, c'est bien mieux de conduire des amoureux que de servir de chauffeur pour un casse. Pindoca est un type bavard, bon vivant, amateur de blagues, très habile avec les mots. Se taire, faire le sérieux ou le tendu sont pour lui des tâches épuisantes. Il peut même agacer les copains, tellement il a de choses à raconter aux heures les moins propices. C'est un excellent compagnon, capable de faire passer le temps sans qu'on s'en rende compte. Mais s'il faut se taire, s'il y a de la tension dans l'air, alors il vieillit vite : sa peau prend un teint jaunâtre, la transpiration s'accumule sur sa tête chauve, et même sa maîtrise du volant s'en ressent. Pour un voyage de noces, c'est tout autre chose ; on n'a qu'à se caler sur la banquette arrière et à l'écouter. Il apaise mieux une fiancée que l'eau de fleur d'oranger. Et le taxi se conduit tout seul, à la bonne vitesse, élégant, comme s'il valsait dans le trafic intense de l'avenue Brasil.

Doralice avait vraiment besoin de ce repos après la menace de Vigario et les avertissements de madame Quinina. Negão la sentait nerveuse sans en connaître la raison. Il se disait que c'était sans doute la perspective de le présenter à sa vieille tante ou encore l'émotion de la promenade en jeune fille amoureuse qui la bouleversaient. Les putes ont ce je ne sais quoi de romantique, de virginal, lorsqu'elles s'éloignent de leur boulot. C'est alors que leur véritable nature s'exprime au grand jour. Ne jamais avoir été amoureux d'une pute empêche l'observateur de jauger convenablement la profondeur de leur âme. Negão, au contraire, était plutôt d'humeur à faire des cabrioles et des pirouettes, souriant de toutes ses dents, les yeux mouillés comme la mer.

Le chauffeur Pindoca avait déjà fait des mariages dans son taxi, avec de vraies vierges en voile blanc. Mais jamais il n'avait conduit un couple plus représentatif de l'hyménée. Pas mal, hein, hyménée ? C'est un mot de Pindoca lui-même, qui peut débiter en phrases mélodieuses des trouvailles de ce genre, tout en qualifiant la banlieue pauvre qu'ils traversaient de « lambeau sous-prolétarien de notre vaste conurbation ». Un crack des mots croisés ; cruciverbiste, s'il vous plaît.

Toute collée à Negão, emballée par les mots de Pindoca, Doralice paraissait peu à peu s'apaiser. Les yeux fermés, comme une fillette, elle se rappelait des moments de son enfance : une baignade dans l'eau de la rivière, une caresse du premier garçon, lorsqu'elle n'avait pas encore de seins, un verre d'eau bien claire après une course à travers champs. Et aussi une robe neuve, la première communion, une tasse de chocolat épais avec des biscuits au maïs, la senteur de savon et de paille sur des draps frais lavés. Doralice était dans un autre monde, entièrement insensible aux relents de méthane et de marais qui montaient du fond de la baie, loin des urubus et des enfants rachitiques qui défilaient derrière la vitre. Était-ce possible ? Negão avec elle, loin du Mangue, en promenade…

Negão, lui aussi, retournait en enfance. Mais dans une enfance qu'il n'avait jamais vécue autrement qu'en imagination. Une enfance mélangée à des coups fameux, en compagnie de Doralice, pour courir ensemble, pour s'embrasser entre les vagues de la mer, pour apprendre à des tout petits comment on fait monter un cerf-volant. Il éprouvait une drôle de sensation sucrée, à l'odeur de vanille et de noix de coco, lorsqu'il caressait la cuisse de Doralice, en arrière du genou. Malgré la chaleur, ils ne transpiraient pas. Ils restaient enlacés dans un nuage de vapeur, se humant l'un l'autre comme s'ils étaient un seul corps. La musique des mots de Pindoca berçait les amoureux sans effacer le sourire béat de Negão. Doralice paraissait en transe ; sa bouche entrouverte mouillait de salive, comme celle d'un bébé qui dort, la chemise du mulâtre.

Avenue Brasil, plage du Caju, Bonsucesso, entrée de Galeão, Lucas... Une agglomération bigarrée, misérable, sale et corrodée par l'humidité, avec des autobus bondés d'ouvriers endormis et irascibles sous la chaleur oppressante qui multipliait la puanteur de la pourriture. Puis Caxias, mi-bourgade, mi-favela, agressante, surpeuplée et désordonnée, avec ses maisons délabrées, jamais finies et déjà éventrées, tapissées d'affiches. Une sorte d'immense marché à ciel ouvert, encombré de camions et de vendeurs itinérants. Pas l'ombre d'un arbre ; seule la mauvaise herbe envahissante avait l'air de se plaire au soleil implacable.

Enfin Meriti, en tous points pareille aux autres villes de la plaine. Des bars en ruine débouchant sur la poussière des rues, où s'agglutinent les paresseux, les désœuvrés torse nu ; des garages crasseux, des masures, des ruelles conduisant nulle part. Et là, entourée d'un haut mur coiffé de tessons de bouteille, la maisonnette de la tante avait l'air d'une île tropicale flottant à la surface d'une mer aride. Il y avait dans l'enceinte une végétation luxuriante, avec des arbres et même de la mousse verdâtre s'écoulant le long du stuc noirci par la moisissure. Un véritable rêve, un miracle, qui d'ailleurs paraissait profiter aussi aux quelques maisons environnantes, étalant son ombrage frais et bienfaisant. On y percevait vaguement l'odeur du marais, qui donnait envie de manger des crabes palustres : ces crabes qui sont bleus et poilus, énormes, avec de grosses pattes maladroites, et qui ont un arrière-goût de vase. Ils sont si bons avec de la bière et de la cachaça que même Doralice, qui pensait en avoir dédain, ne put résister à la tentation d'en déguster dès le premier souper. Mais n'anticipons pas. Ils étaient à peine arrivés, un samedi, vers dix heures du matin.

Tante Raimunda n'était pas tout à fait une vieille tante. Bien au contraire. La quarantaine bien sonnée, les membres forts, la chair ferme, les mouvements lents, la peau basanée et surtout les traits de Doralice sur le visage mûr. Un morceau de belle femme encore bien fraîche, avec un grain de mélancolie dans les yeux.

Dès la porte du jardin, Negão lui plut. S'il n'y avait pas eu Doralice, Raimunda aurait bien pu apprendre à ce mulâtre comment l'on navigue un corps de femme. Mais non. Pourquoi vouloir revivre le passé ? Il y avait eu un mulâtre dans sa vie, une peste d'homme qui l'avait marquée pour toujours. Un seul. Une vraie folie. Il lui avait fait abandonner sa maison de femmes bien située dans la Lapa, ses protecteurs influents, dont un Portugais grossiste en importation qui était d'ailleurs un véritable commandeur d'un ordre du Vatican. Madame Carmecita était alors redevenue Raimunda. Son bonheur n'avait duré que peu de temps. Son mulâtre Nicolau était parti en bateau. Il avait toujours eu la fringale de visiter le monde comme si la plaine de Caxias n'était pas suffisante, comme si les cuisses d'une femme n'étaient pas les cuisses de toutes les femmes. Il était parti comme il était venu, sans dire adieu, seulement un « à plus tard, ma Nega, soigne-toi bien ». Parti vers l'étranger, incapable de se satisfaire sans voir les choses qui sont ailleurs, les femmes des autres pays. Perdu désormais quelque part, très loin, dans une langue sans tendresse ; sûrement en regrettant les cuisses de Raimunda, c'est en tout cas ce que celle-ci souhaitait au plus profond de son cœur. Une peste d'homme. Puis, trop mélancolique pour faire la pute, tante Raimunda avait renoué avec quelques-uns de ses anciens admirateurs, triés sur le volet. Les meilleurs. La fatalité, sous la forme d'un amant cardiaque, lui avait fait hériter d'un petit pécule qu'elle avait investi dans l'achat d'une mercerie qui lui permettait tout juste de survivre. Ce jardin emmuré de Meriti appartenait au commandeur du Vatican, un homme déjà quelque peu fatigué, qui goûtait dorénavant de manière presque chaste la compagnie de Raimunda. Elle était devenue officiellement la cuisinière et la gardienne de la maison de Meriti, ce qui était un arrangement confortable, même si elle savait que la famille lusitaine ne la laisserait pas y rester un jour de plus après la mort du commerçant. En attendant, le vieux refusait de mourir et les séjours à Meriti faisaient office pour lui de cures d'eaux. Mais Raimunda n'avait plus de plaisir au lit. Un seul homme avait su la faire chanter et il était parti. Elle menait ainsi une existence monacale en dehors des visites de ses protecteurs, au demeurant de plus en plus espacées. La mercerie était tenue par une vieille fille très modeste qui n'avait pas été pute et qui n'avait pas su se faire déflorer. Raimunda avait donc tout le temps de cultiver son jardin de souvenirs et se contentait d'être la tante Raimunda.

Negão lui aussi la trouva sympathique. Son air de Doralice mûre, ses yeux brillants, le sourire, tout lui faisait sentir qu'il était le bienvenu. En plus, Raimunda aimait Doralice. Comme ça, sans y penser, avec tendresse envers la fillette qui avait suivi son chemin depuis l'État d'Espírito Santo jusqu'aux bordels de Rio.

Une autre passion rapprochait encore les deux parentes, celle des plantes. Doralice aimait vraiment les fleurs, ce qui est rare chez les filles de joie. D'habitude, elles disent aimer les fleurs, mais c'est plutôt les fleurs achetées ou l'acheteur lui-même, quand ce n'est pas que l'envie dans les yeux des autres femmes lorsqu'elles reçoivent un bouquet d'un client amoureux. Raimunda, au contraire, avait une main bénie pour les plantes, qui s'exprimait par l'exubérance végétale des lieux.

Cette ambiance plaisait à Negão ; c'était comme dans une famille, sans les contraintes de la vie familiale. Et puis la fraîcheur du jardin, les formes plantureuses de la tante, son amour naissant pour Doralice, tout cela le plongeait dans un état d'immense paix.

Raimunda était fière de sa maison : propre, assez fraîche, meublée modestement. Elle y avait construit un havre pour l'amour et le souvenir. Le jardin surtout était magnifique. Comme une espèce de grotte mystérieuse de conte de fées. Il n'était pas très grand mais, protégé par de hauts murs et peuplé d'arbres, il donnait une impression de profondeur, de réclusion, d'obscurité malgré le soleil. Les deux manguiers colossaux, un jaquier et un avocatier l'ombrageaient entièrement. Sur le sol s'étalaient toutes sortes de plantes rampantes, de sphaignes et de lichens parmi les pots en grès et les boîtes de pétrole pourries abritant des fleurs. Tout était rempli de verdure, regorgeant d'une vie grouillante d'insectes et de papillons. Sur l'eau pâteuse d'une baignoire rouillée flottaient des nénuphars et des naïades se confondant avec la mousse grasse qui s'étalait sur les dalles. Une vapeur aux irisations d'arc-en-ciel dominait l'atmosphère, perlant les toiles d'araignées et alourdissant le bourdonnement des mouches. Les oiseaux chantaient comme si l'aube venait à peine d'éclore. On n'était plus dans la plaine, il n'y avait plus de Meriti, le monde n'avait plus d'importance.

Pindoca avait perdu la parole. De sa bouche ouverte sortaient seulement des han, han, han de contentement et de stupeur devant l'exubérance colossale de ce cloître tropical. L'entassement et l'entrecroisement frénétique des végétaux frappaient l'imagination et déliaient les songes. En s'isolant du monde, Raimunda avait exprimé en vert toute la passion qui habitait autrefois son corps de femme. C'était un monument vivant qu'elle ne cessait pas de cultiver et qui témoignait par sa luxuriance de la persistance même de cette vitalité qu'elle cherchait à nier.

Negão trouvait tout très beau. Il n'avait pas appris à ressentir la beauté de la nature, mais son cœur se réjouissait de voir Doralice si contente. La fille allait d'une plante à l'autre, les caressant sans rien déranger, touchant la terre, discutant le détail de chaque chose avec sa tante, s'étonnant de la croissance ou de la floraison de telle ou telle espèce, se salissant les mains et devenant nymphe. Et elle savait le nom exact de beaucoup de ces plantes, s'adressant aux fleurs par leur prénom, de façon familière. Ça alors ! Quelle culture ! Ce fut pour Negão la découverte fatale d'un côté inconnu de Doralice, le clou final :

— La petite fille, qu'elle est intelligente !

Pindoca ne faisait qu'opiner du chef, la bouche entrouverte et toujours silencieux. Assis sur des vieilles chaises en rotin, sirotant la bière glacée, les deux amis contemplaient cette vision paradisiaque, perdus dans la tranquillité. L'image de Doralice dans cette forêt avait quelque chose d'irréel. Et n'oublions pas les formes généreuses, les bras bien roulés et les seins que Raimunda ne cherchait pas à cacher en se penchant sur les fleurs. Les belles cuisses non plus, car elle relevait sa jupe comme si elle était à la plage et, malgré les convenances, Negão et Pindoca avaient les yeux trop entraînés pour ne pas les remarquer.

— Deux maudites belles femmes… avec tout le respect que je te dois, s'exclama enfin Pindoca dans une sorte de râle.

Negão répondit par un sourire plus large, sans même regarder le chauffeur. Cette première phrase déboucha le goulot du cruciverbiste, qui se mit alors à discourir sur le paradis terrestre, le bonheur de Negão avec deux Ève pareilles, les jardins de Babylone, les forêts du Congo, les mines du roi Salomon, les poils pubiens et axillaires d'une rousse qu'il avait autrefois fréquentée, la cuisine épicée de sa vieille mère, les papillons de l'Amazonie, les maisons des geishas, les bains publics de la Rome impériale, et il raconta même l'histoire d'une femme nymphomane qui avait besoin de faire l'amour cinq fois par jour! Un déluge, excessif et sensuel à l'image du jardin. Emporté, Pindoca se tordait sur la chaise, gesticulant de ses mains comme s'il était un prêcheur.

Toujours silencieux, Negão élargissait démesurément son sourire, qui occupait désormais tout son crâne, en débordant sur ses jambes, engloutissant en peu de temps quelques pots de fleurs et disparaissant au delà des tessons de bouteille qui défendaient les murs. Ses yeux étaient ainsi de plus en plus petits, en extase, brillants d'étoiles et presque disparus sous ce sourire colossal.

On peut dès lors mieux comprendre la survie opiniâtre du commandeur portugais. Rien qu'à voir l'effet des lieux sur les deux amis, le vieux allait encore vivre au moins cent ans.

Comment raconter le séjour de Negão et de Doralice à Meriti sans posséder la verve de Pindoca? Impossible. Ce récit resterait nécessairement lacunaire, en deçà de la réalité. D'ailleurs, Pindoca dut partir, bien malgré lui, certes, après le repas de midi. Il aurait voulu rester, pour tenir compagnie à Raimunda, pour qu'elle ne s'ennuie pas seule devant la passion peu discrète de Negão et de Doralice. Si Raimunda avait insisté un tant soit peu, il serait resté. Mais après avoir répété une bonne dizaine de fois: «Eh bien, mes amis, j'ai peur de devoir vous quitter, j'ai du travail», sans que personne conteste le moindrement, il s'avoua enfin vaincu. Et il partit, toujours de bonne humeur, plus bavard que jamais, en promettant de revenir le lundi soir chercher les amoureux. Il avait naturellement l'espoir inavoué que, tard dans la nuit, ramollie par la vision de la jeunesse, la tante Raimunda lui demanderait de rester à coucher. Pindoca était un incurable rêveur, trop fasciné par les mots pour bien distinguer le réel de l'imaginaire. Un homme heureux. Et aussi un poète à ses heures, il faut le dire. D'ailleurs, le travail qu'il évoquait avant de partir n'était rien d'autre que l'entraînement des chanteurs pour le carnaval. Il était l'auteur des paroles de la samba que la favela Boreu allait présenter dans son défilé du carnaval : « Favela, le cénacle de la gloire tropicale ». La musique et l'arrangement pour percussions étaient de maître Sirigaito Alfombra, un autre grand ami de Negão.

5

Trois jours de bonheur. Purifiés et protégés par le jardin de Raimunda, rajeunis, redevenus innocents, les amoureux découvraient pour la première fois le goût de vanille du baiser des jeunes gens. Negão paraissait tout au plus dix-huit ans, et il se collait, exalté, aux nouveaux quinze ans de Doralice. L'humus de la terre avait absorbé toute l'amertume de leurs expériences passées pour la transformer en fleurs. Lune de miel de jeune pute et de vagabond. Une passion circonscrite dans le temps, dans un simple moment, sans l'ennui ni la satiété des choses éternelles. Un jeu d'enfants, une longue bouffée d'air, une gorgée d'eau fraîche. Une véritable parabole pleine de danses et d'ébats, agrémentée de repas de crabes palustres et de morue grillée, car Raimunda excellait dans la cuisine à la fois tropicale et lusitaine. On finissait par des gâteaux à la noix de coco et au jaune d'œuf, de ceux bien sucrés et onctueux, parfumés de clou de girofle, humides comme le sexe de la femme aimée. Et avec beaucoup de bière pour arroser les bonnes choses, puisque la plaine de Caxias est une véritable fournaise à cette époque de l'année. La cachaça glacée le soir, accompagnée de petites bouchées salées. Le café noir le matin, ou plutôt en fin de matinée, car les amoureux jouaient longtemps en attendant le sommeil. Café siroté en sous-vêtements, torse nu, pour profiter de la fraîcheur sur les chaises en rotin du jardin mystérieux.

Ce fut une frénésie sensuelle, tendre et avide à la fois, pendant laquelle leurs vies se fondirent en une seule jouissance. Leurs yeux fixés les uns à l'intérieur des autres absorbaient ainsi toute la lumière du monde. Et leurs corps se joignaient très lentement, dans une douceur de mains caressant des cheveux, des lèvres baisant des doigts, puis de mains et de membres se frottant avec rudesse jusqu'au supplice pour mieux se dire combien il était navrant de ne pas être un seul organisme. Negão, ivre devant cette fillette enflammée, oubliait toute sa maîtrise des choses et se laissait emporter par la déraison comme s'il chevauchait les vagues de la mer. Doralice, gémissante face à cette colossale passion qu'elle provoquait, ouvrait enfin son corps, se collant pour mieux le sentir au fond de son être et ainsi mieux le tourmenter. Elle se donnait entièrement telle une fleur qui se plaît à s'écraser contre des lèvres, enivrant le mâle de liqueurs parfumées, de cris et d'éclats de rire, sans lâcher prise, secouée de spasmes et les dents voraces. Negão revenait parfois à la surface, pour respirer et se ressaisir l'espace d'un instant, replongeant ensuite dans ce corps mouvant pour explorer encore l'intimité de sa compagne, les lèvres et la langue glissant le long de jardins profonds aux chaudes vapeurs, vers des puits onctueux d'humidités désaltérantes. Absorbé par les sursauts de la fillette, qu'il tenait d'une main ferme pour mieux l'assiéger, il devenait à son tour le jouet d'une bouche avide et aventureuse. Qui était la proie, qui était le fauve dans cette explosion d'amour ? Réveillé encore par les caresses avides d'une Doralice souriante, Negão revenait à la charge, étonné des forces nouvelles que lui transmettait sa compagne. Et de ses doigts et de son sexe, obéissant aux plaintes de la femme, il la faisait blêmir de douleur et de désir. Doralice, devenue méduse, enrobait le mulâtre, caressant et aspirant, émerveillée devant ce poisson qui lui ravageait le ventre. Ils se répétaient ainsi en se renouvelant, à chaque instant, à toute heure, pendant l'éternité que dura le séjour à Meriti.

Il fallait avoir le passé de Negão et celui de Doralice pour s'abandonner de la sorte, pour jouir en tourbillon, pour s'aimer comme ils le firent. Raimunda elle-même, pourtant expérimentée en choses de l'amour, ne pouvait s'empêcher d'être émue. Seule dans son lit, les yeux fermés, les mains voyageuses, elle voguait entre l'image du corps de Negão et la proue de son homme navigateur. Des nuits de mer agitée pour le corps de Raimunda, ballotté par les vagues, les doigts fragilement agrippés à son sexe, le souvenir scrutant la mémoire en pleine bourrasque. De ces tempêtes du regret, les pires, les plus houleuses ; tempêtes de vents froids et de goût de sueur. Et puis les senteurs lointaines qui nous écartèlent en faisant sursauter le cœur et crisper l'anus. Des nuits sans sommeil que seule la fraîcheur de l'aube sur les chaises du jardin pouvait apaiser. Les souvenirs tristes, l'amertume dans la bouche et le frisson dans les membres robustes, voilà Raimunda qui attendait le lever du soleil comme une gardienne des amoureux. Raimunda seule, échouée, sans capitaine, les mâts encore rigides, mais les voiles déchirées contre les rochers de la plaine de Caxias. Ah, qu'est-ce que tu es allé chercher si loin, Nicolau, si à l'étranger, plus distant que le souvenir ? Des aubes de marée basse, de limon séché, d'odeur de pourriture ; des aubes de marais après les nuits d'immensité liquide. Pauvre Raimunda.

Les amoureux ne connurent rien de ces combats, de ces naufrages, de ces noyades. Raimunda savait tout cacher. Elle n'allait pas gâcher le plaisir de la petite. De toute façon, les amoureux ne voyaient rien d'autre qu'eux-mêmes. Negão, pourtant d'un naturel observateur, avait échangé le « Raimunda » contre le « ma tante » dès le départ de Pindoca, et il se comportait en neveu. Seul avec Raimunda, il n'aurait pas dit non, évidemment ; après tout, une tante est une excellente institutrice pour un neveu curieux. D'autant plus que Negão n'avait pas eu de tante. Mais Doralice était partout, volant avec les oiseaux, butinant avec les abeilles, nageant dans l'eau du robinet, s'ébouriffant avec la mousse de la bière, brillant dans les rayons de soleil. Doralice partout, absorbant le corps et l'esprit de son homme, gobant avec ses yeux toute la plaine de Caxias, le monde entier. Doralice et Negão, Negão et Doralice.

Ils allèrent danser tous les soirs à la buvette d'un Turc, à la salle publique Flor do Meriti, à l'école de samba Porretas da Baixada. Doralice ne remarquait rien, elle ne se rendait pas compte qu'ils dansaient, que les autres les regardaient, que les femmes chuchotaient. Collée à Negão, elle se laissait balancer comme une poupée ; il avait un rythme naturel, la danse dans le sang. Negão non plus ne voyait rien. Il négligeait même de saluer certaines connaissances de longue date, et il ne remarquait pas les jeux de fesses que faisaient les filles en son honneur. Il dansait, la tête dans les nuages, les percussions infiltrées dans les jambes, les mains et le bassin occupés à tenir sa bien-aimée, à la cajoler, comme un bébé que l'on serre pour mieux le consoler. Et c'est en dansant qu'ils retournaient dans la chambre, étonnés d'être de nouveau seuls, en ne sachant pas à quel moment la samba était devenue étreinte, le rythme des tambours à la place du cœur. Ils soufflaient ainsi, chaque nuit, la bise dans la barque de Raimunda, sans même s'en apercevoir.

Le lundi soir, lorsque Pindoca arriva, ils s'apprêtaient encore à aller danser. Ne voulant pas gâcher la fête sous prétexte qu'il fallait retourner à Rio, le chauffeur les accompagna au bal. Raimunda, ramollie par les nuits tumultueuses, se laissa convaincre d'y aller aussi, rien que pour regarder. Elle n'y resta d'ailleurs pas longtemps, juste ce qu'il fallait pour faire quelques danses avec Negão et regarder quelques démonstrations habiles de pas de samba que fit Pindoca. La migraine. Malheureusement, le chauffeur non plus ne se sentait pas très bien, quelque peu indisposé, fatigué de sa journée de travail; et il reconduisit Raimunda, rien que pour lui tenir compagnie, histoire de laisser les amoureux se divertir encore. Pindoca était aussi un cavalier extrêmement courtois lorsqu'il s'agissait de prendre soin de dames souffrant de migraine.

Fut-il à la hauteur du Nicolau des rêves ? Ce n'était peut-être pas nécessaire. Raimunda était si trempée par les vagues des tempêtes qu'un homme moins vaillant et moins patient que Pindoca aurait suffi. Ce fut avec les yeux songeurs, la bouche fatiguée, apaisé et silencieux, que le cruciverbiste reprit le volant le mardi matin, vers dix heures, pour reconduire Doralice. Negão devait rester dans la région, pour aller à Belford Roxo régler certaines affaires. Si Raimunda sourit en se mordant les lèvres lorsqu'elle dit au revoir à Pindoca, l'adieu de Doralice à Negão paraissait une déchirure. La petite se collait à son homme, les yeux fermés, le serrant si fort qu'on aurait dit qu'ils se séparaient pour toujours.

— Petite bête, Dalice, neguinha rouquine, mon petit con, pleure pas, mon bébé. Jeudi soir je vais te chercher chez Quinina. Promis. Tu viendras dans ma cabane à la Joie de Vivre. Promis... Petit con, mon amour, Dalice. Promis...

Le taxi l'arracha du rêve en la jetant dans la réalité. Sa petite face pleine de larmes disparaissait au loin, derrière la fenêtre, derrière l'automobile, se perdant dans la plaine, se fondant dans les villes.

Le sourire de Negão, ses yeux tristes en disaient long. C'est vrai que le jeudi il serait de retour. Mais il était profondément douloureux de se séparer de sa femme après une si courte lune de miel. Il se promit alors de régler vite ses affaires, de se dépêcher pour la surprendre, qui sait, le lendemain soir. Le sexe brûlant, que dis-je, le corps tout entier en feu, les lèvres trop mordues, tout dans ce colosse de nègre tendait vers Doralice. Les images défilaient dans sa tête, douces maintenant, comme imbibées par une vapeur d'éther. La petite bouille de la fillette se détachait, toute innocente ; le geste qu'elle faisait pour écarter la mèche qui lui tombait sur les yeux prenait des allures si adorables que Negão avait envie de pleurer. Et puis la façon si jolie, si maladroite qu'elle avait eue de lui demander de la prendre comme femme, pour toujours :

— Tu sais, mon Nego, je ne suis pas encore femme. Je n'ai jamais saigné… ou si peu. Il y a si longtemps. Mais si tu me prends, je suis sûre que je pourrai saigner pour toi. C'est Quinina qui me l'a dit. Quand un homme veut bien, le corps de la femme répond… Dis, mon Nego, tu me fais un garçon ? Seulement si tu veux… Rien que pour voir ton image d'enfant, petit et heureux… Dis, tu lui montreras comment faire lever les cerfs-volants ?

Le souvenir de ces paroles qu'elle avait dites en chuchotant, en gémissant, les yeux remplis de larmes et le sourire aux lèvres, l'image de cette envie d'être heureuse, de n'être femme que pour lui, cela remplissait Negão d'une énergie nouvelle. Et ça lui donnait envie de la serrer, de lui dire des choses mignonnes, de la protéger contre la vie. Quinina ne s'y opposerait pas. Fini le Mangue pour Doralice. Ils allaient vivre ensemble. Il irait même à la messe avec elle, à l'église Sainte-Rita, le dimanche, rien que pour montrer aux gens sa robe neuve, en descendant la rue Acre. Une drôle de fille, cette Doralice… aller à l'église… Pourquoi pas ? Si ça la faisait sourire, si sa mèche de cheveux devenait heureuse, si son nez se mettait au rouge avec tant de plaisir ! Dalice…

6

L'affaire à Belford Roxo était des plus simples. Rien d'urgent et, à la rigueur, ç'aurait pu être reporté. Mais se trouvant dans la région, Negão ne voyait pas pourquoi l'ajourner, surtout qu'il avait bien besoin d'argent. La vie de famille nécessite des dépenses, et il voulait gâter sa Doralice. Il s'agissait d'une affaire d'autos volées qu'un de ses compères, monsieur Jacinto, démontait pour vendre en pièces détachées. Un truc très sérieux, dans lequel même des gens importants de la police étaient impliqués, fermant les yeux lorsqu'il le fallait pour laisser la voie libre à l'entrepreneur et à ses fournisseurs. Il arrivait aussi que la petite entreprise transportât des autos encore montées, parfois par dizaines, vers d'autres États de la fédération, où des associés s'occupaient de les vendre. Le tout roulait allègrement dans ce pays à la bureaucratie compliquée, où l'amour de l'automobile est tel que le client ne se pose jamais de question sur la provenance de son nouveau véhicule. Parfois les talents de mécanicien de Negão étaient directement mis à profit ; c'étaient souvent des commandes spéciales, comme des autos importées, modèle sport de préférence, et garées d'habitude devant telle ou telle boîte de nuit de Copacabana. Des missions sérieuses, on le comprend : l'acheteur de São Paulo ou de Bahia attendait avec anxiété son nouveau modèle, pendant que l'automobile en question circulait encore dans les rues mouvementées de Rio, au risque de s'abîmer et de perdre de sa valeur. Un accident est vite arrivé, on le sait. Ou encore un dilettante pouvait vouloir essayer de se faire la main sur une mécanique si perfectionnée, rien que pour le plaisir fugace d'une promenade, l'abandonnant ensuite, cabossée, sans radio, ni pneus, ni batterie dans une quelconque banlieue déserte. Et voilà partie en fumée une affaire en or. Avec Negão, par contre, on ne se trompait jamais. BMW, Mercedes, Buick, MG et autres bijoux achetés avec l'argent de l'aide au tiers monde partaient ainsi en douceur vers le dépôt de Belford Roxo, ni vu ni connu, où ils étaient embarqués immédiatement dans des camions fermés, pour être livrés à l'atelier de peinture avec les spécifications de l'acheteur. Negão était si habile qu'il préservait toujours la serrure originale, ce qui lui valait l'estime et la considération de ses supérieurs. Tous des copains. Il travaillait peu, plutôt en artiste, mais il était toujours disponible s'il fallait rendre un service ou dépanner en cas d'urgence.

Son compère Jacinto lui devait le paiement de certaines commandes déjà convenablement livrées. Les affaires étaient florissantes, mais Jacinto ne payait qu'en personne, on le comprend. Fallait y aller pour toucher son argent et aussi pour se faire prier de prendre d'autres commandes. Le chef assurait ainsi le roulement de l'entreprise, car s'il avait payé ses experts par personne interposée, ceux-ci auraient pu disparaître des mois entiers, s'amusant, dépensant sans se soucier de la liste de commandes ni de la bonne marche des affaires. Déjà qu'il n'arrivait pas à honorer la moitié des demandes. C'est que, la dictature aidant, un tas de militaires haut gradés se découvraient un penchant soudain pour les autos de luxe, que leurs salaires pourtant bien indexés n'arrivaient pas toujours à payer. Plus ils étaient nationalistes, plus il leur fallait des bagnoles étrangères. Sans compter les politiciens, les industriels et les gens d'affaires qui voulaient tous participer au miracle économique issu du coup d'État.

Vigario, lui aussi, en passant à la police politique, avait cru bon de changer sa vieille Volkswagen rafistolée contre une plus récente, avec radio Blaupunkt et jantes en magnésium. Mauve.

Negão allait ainsi toucher son dû, de quoi vivre tranquillement les mois suivants en compagnie de Doralice. Mais le compère Jacinto était un homme sensible, un type très à cheval sur les traditions familiales, et particulièrement attaché à Negão. C'était lui qui avait initié le jeune mulâtre à l'époque où celui-ci travaillait au port, et il le considérait comme une espèce de filleul. Fallait alors rester pour souper, visiter l'entreprise, causer et boire avec les amis. L'affaire d'une journée entière.

Tout se passa d'ailleurs très bien. Negão prit plaisir à être avec ses copains, à reparler du bon vieux temps. Quelques-uns, déjà vieux et pantouflards, s'occupaient désormais seulement de documents et de plaques d'immatriculation. Ils pensaient à la retraite. D'autres, jeunes et nerveux, bâclaient parfois trop vite les meilleures affaires pour se lancer dans le commerce de la drogue, impatients et dépensiers. Le vol de voitures est un monde bien spécial, artisanal, mais qui tend à perdre ses charmes avec la production de masse. Devenant impersonnel, il attire alors toutes sortes d'éléments parfois instables, impulsifs, voire dangereux. Mais Negão avait une réputation bien établie et toucha son argent sans difficulté, même s'il ne put refuser la commande d'une Porsche qu'avait passée un juge de São Paulo.

L'incident malheureux qui eut lieu le lendemain ne concernait pas Negão. Pour tout dire, celui-ci ne comprit même pas le motif de la bagarre. Ses amis et lui avaient décidé de sortir pour boire une bière avant de se quitter. Jacinto regrettait de ne pas pouvoir accompagner son filleul pour faire connaissance avec la fiancée, et il voulait dire personnellement à Negão combien il était content de cette union. Tout se passa si vite que Negão n'eut pas le temps d'envoyer un seul coup de pied. Les jeunes gens se mirent à crier, les bouteilles volèrent et des coups de feu éclatèrent dans le bar. Un type sortit en tenant son ventre pour s'étaler sur le trottoir dans une mare de sang. L'autre resta assis, l'air béat et interrogatif, un trou bien net en plein front.

Normalement, on se serait tirés discrètement pour ne pas déranger, laissant à la police le soin d'enquêter et de faire venir le fourgon de la morgue. Ce genre d'incident était si courant dans la plaine de Caxias que personne n'y trouvait matière à étonnement. Sauf que, cette fois, tout avait l'air monté : règlement de comptes, extorsion de la part des forces de l'ordre ou lutte de pouvoir parmi les entrepreneurs ? Le fait est que la police arriva aussitôt, avant même que le type qui était sur le trottoir ait eu le temps de tomber. Puis, très arrogants, sans aucune considération envers les hommes d'affaires présents, les flics crièrent des obscénités, donnèrent des coups de crosse et passèrent les menottes, comme dans une réunion d'étudiants. Un manque total de manières et de respect. Negão et Jacinto se laissèrent faire, comment résister ? Un fâcheux malentendu, sans aucun doute ; il fallait avoir de la patience. Tout allait s'éclaircir au commissariat de Belford Roxo. Les hommes d'affaires seraient libérés avec des excuses. N'était-on pas des partenaires ? Les clients du bar furent tous embarqués en fin d'après-midi, *manu militari*.

Pendant le court voyage, Negão put comprendre qu'il s'agissait d'une simple bévue. Un des jeunes mécaniciens, trafiquant aussi de marijuana à ses heures, avait prêté une fourgonnette maquillée à un client peu connu. Une opération idiote, pas en règle, histoire de se faire un peu d'argent en mélangeant les affaires et la vie personnelle. Or, ce fameux client inconnu avait utilisé le véhicule pour transporter des trucs interdits, des presses, des pamphlets gauchistes, peut-être même des armes, sous le nez des militaires. Il avait été pris. Et voilà le commerce honorable des autos volées mêlé à des affaires de terrorisme. Des policiers d'autres secteurs envahissaient maintenant la paisible localité de Belford Roxo pour traquer les communistes. Dommage. Il faudrait payer le gros prix. Peut-être même que Jacinto allait être obligé de passer la direction de la lucrative entreprise à un quelconque colonel de la marine ou de la cavalerie, en attendant que les choses se tassent. La poisse !

Negão était régulier. Peu connu, il fut mis à l'écart pendant que les autres se faisaient interroger. Son argent cependant avait été confisqué. Pas moyen de le réclamer, car un sbire avide l'avait empoché hâtivement sans même le compter. Une bien grande malchance, juste au moment de son mariage. Il pourrait toujours livrer la Porsche à un garagiste discret de Caxias, en lui refilant le tuyau sur le juge qui avait passé la commande. Ça lui ferait de l'argent de poche en attendant de connaître les résultats de la réorganisation de l'entreprise. Bah ! Doralice n'était pas dépensière ; ils allaient pouvoir s'arranger tout de même.

Negão patientait ainsi au commissariat, en espérant pouvoir partir avant la nuit. Bientôt, il serait avec Doralice ; c'était tout ce qui comptait. La cellule était bondée de gens, de toutes sortes de gens, immergés dans une vapeur acide d'urine et de sueur. La plaine est une fournaise.

7

Vers le début de la soirée, Negão fut conduit pour interrogatoire. Ça avait plutôt l'air d'une formalité, puisque les deux policiers étaient assez détendus, cherchant des détails disparates comme s'ils s'attendaient à des tuyaux lucratifs. Sûrement que le compère avait déjà éclairci l'incident, à sa façon, généreux et cordial comme il sied à un homme ayant une longue expérience du contact avec les autorités. Jacinto avait sans doute accepté quelque marché pour sauver son entreprise, et il avait déjà été libéré. Ou bien toute l'affaire n'avait été qu'une opération bidon, pour sauver les apparences, comme c'est souvent le cas lorsque la police fait preuve de diligence. Le compère avait de bons contacts, avec des gens haut placés, et le client de la Porsche et tous les autres ne seraient pas déçus. Il arrivait parfois que des rafles de la sorte soient organisées, parce qu'un policier ou un militaire bien placé avaient besoin d'argent, de *cashflow*, comme on dit aujourd'hui. Avec leur *know-how*, ils pressaient les pauvres gens, qui à leur tour devaient travailler davantage, effectuant des *work tasks* et des *quick jobs* extraordinaires pour réussir à survivre. Tout ce modernisme était d'ailleurs en conformité avec les exigences du F.M.I, pour que le pays sorte enfin de la récession et se mette à produire plus. Un truc diabolique, mis au point par les Américains, mais qui marchait ; il obligeait les Brésiliens à travailler plus fort tout en gagnant moins, pour développer leur sens du devoir. Les temps étaient si difficiles que même les nouveaux mots pour dire les vieilles choses étaient impossibles à comprendre. Mais on s'habitue à tout ; le pauvre n'a pas le choix, puisqu'il paraît que l'anglais est la langue de l'avenir.

Perdu dans ces réflexions, Negão avait failli ne pas reconnaître Vigario qui arrivait, l'air nonchalant et blasé.

— Vous pouvez sortir, je m'occupe du prévenu, dit-il à ses hommes. Il y a une communiste dans la salle à côté. Tâchez de la ramollir. Elle est impliquée dans l'affaire des ouvriers de la raffinerie de pétrole ; des trucs d'alphabétisation et d'agitation, vous savez ? Allez à la pêche… mais mollo, car la petite a l'air de pouvoir nous être utile. Je connais bien ce nègre-là… j'ai des choses à lui dire.

Les deux policiers étaient sortis contents en pensant à la fille qu'il fallait ramollir. Vigario était ainsi fait : habile dans le commandement des hommes, il savait toujours apporter un peu de douceur au travail par des cadeaux inattendus. C'est d'ailleurs grâce à ce savoir-faire qu'il était monté vite dans la hiérarchie. Ses hommes n'avaient pas peur de travailler fort, puisqu'ils savaient qu'il y avait toujours des gratifications rafraîchissantes, des moments de répit. Ramollir une communiste voulait simplement dire jouer avec elle, lui faire peur, la préparer pour Vigario, lorsqu'il se mettrait personnellement au boulot. Celui-ci n'aimait pas devoir attendre ; il voulait que le client soit déjà prêt, non seulement disposé à collaborer, mais suffisamment désespéré pour ne plus demander que ça. Ramollir était donc un travail léger et, quand il s'agissait d'une fille, un pur plaisir.

Vigario, non plus, ne paraissait pas pressé. Il ne cherchait pas de renseignement précis et il trouvait drôle de voir Negão pris dans cette affaire.

— On t'a embarqué comme un con…, dit-il. Cette déclaration fut suivie d'un long silence, pendant lequel le policier ajusta lentement son fume-cigarette, puis sortit en lui montrant bien son lourd briquet en or.

Vigario dégustait ces moments d'attente où il était sûr de pouvoir surprendre son adversaire, où il avait la profonde certitude d'incarner l'autorité. Longue inhalation, puis une exhalation de côté accompagnée d'un rictus des lèvres, les yeux fixés sur ses ongles manucurés.

— Toi, le nègre, tu te fais vieux.

Vigario avait prononcé la phrase d'une façon claire, comme s'il l'avait préparée depuis longtemps. Le « nègre » était nouveau, agressif et provocant malgré le ton presque délicat sur lequel il avait été prononcé.

— Vieux et con… petit vagabond de merde. Et ça veut se mettre entre les pattes de la police politique… Tu ne sais pas à qui tu as affaire… Vieux et con.

Là, Negão se réveilla tout à fait et fixa sur Vigario des yeux alertes. Ce n'était pas une manière habituelle d'entrer en matière. Le policier dépassait certaines limites. Peut-être que le compère n'était pas au large…

— Parce qu'on peut te casser… t'apprendre la leçon. Les vermines de ton espèce, nous y sommes habitués. On en voit tous les jours, tous les jours…

Negão ne put dissimuler son étonnement. Ce Vigario paraissait trop différent, trop sûr de lui pour être vrai.

— Tu dis rien, le nègre ? Ça te surprend de me voir ici ?

Et en mordant le fume-cigarette, il regarda autour de lui : la salle crasseuse et empoussiérée, la paperasse jaunie empilée partout, la lumière faible, le stuc craquelé et le drapeau national en lambeaux.

— Belford Roxo n'est certes pas un bon endroit pour la police politique. Mais même dans la vase, on peut pêcher des gros poissons. Ou des crabes poilus de ton espèce... Tu te fais vieux... Vieux et con.

Negão attendait sans bouger, silencieux.

— Tout est politique, reprit le commissaire après une nouvelle inhalation. Partout. Même vos sales combines à Belford Roxo. Seul un nègre ignorant comme toi ne s'en rend pas compte. Les communistes, les terroristes, eux, le savent...

Encore une longue inhalation, le regard dirigé vers les ongles, suivie du polissage de la bague d'avocat sur la cravate.

— Même Jacinto, ton fameux parrain, il le sait... Plus intelligent que toi...

Cette dernière remarque rassura Negão. Le policier ne voulait rien d'autre que son accord. Ils avaient donc signé un compromis. Le coup avait effectivement été monté par la police, pour mettre la main sur l'entreprise d'autos volées. Le compère était un homme d'affaires ; certainement qu'ils s'étaient entendus. Que faire d'autre ? Il restait à connaître l'étendue des dégâts : association ou prise de contrôle ? Les agents de la loi étaient avides, naturellement, avec leurs pleins pouvoirs sur la ville et les citoyens. Normal qu'ils en profitent. Même un type comme Vigario ne regardait plus les convenances. Pourtant, il connaissait très bien Negão. Et il agissait maintenant comme un vrai militaire. C'est bien curieux ce que le sentiment du pouvoir total peut faire.

— T'as pas le choix. On te laisse une chance de t'en sortir. D'ailleurs, on est trop bons pour un nègre ignorant de ton espèce. Mais on n'est pas là pour déranger les petits... Sauf que, maintenant, on veut du bon travail, du rendement. Un vagabond n'a pas de place parmi nous...

Comme le visage de Negão se détendait, le commissaire reprit son air bonhomme. Il fit sauter le mégot de son fume-cigarette d'un geste distrait, et il se pencha sur la table, en fixant les yeux du prévenu :

— Collaborer ! C'est ça le mot d'ordre… Col-la-bo-rer ! Ça ne change rien pour toi, remarque. Les commandes vont continuer comme d'habitude. Comme dans une famille. Jacinto a cédé la place… mieux encore, il a su se mettre à sa place. Désormais, les ordres viendront de plus haut. Mais le boulot reste pareil… ton boulot reste le même… C'est nous maintenant qui te dirons quoi faire. Fini l'amateurisme… Ah, je sais, tu penses au fric, n'est-ce pas ? Toujours le fric. Vous, les pauvres, vous ne pensez qu'à ça. Trop concrets, trop terre à terre, mercantiles… T'en fais pas pour le fric. Tu auras ton pourcentage, comme par le passé. C'est-à-dire… si tu travailles bien…

Tout à fait détendu maintenant, un sourire approbateur sur les lèvres, les yeux baissés, Negão essayait d'écarter de son cerveau la décision secrète qui s'était résolument imposée quelque part en lui. La petite phrase de rien hantait cependant son esprit, drôle, le divertissant d'une manière sournoise, fuyante comme la flamme d'une chandelle sous le vent : « Je vais achever cette ordure. » C'était une décision irrémédiable, Negão le savait bien. Mais, pour le moment, il fallait l'écarter, l'empêcher de gâcher son sourire, l'empêcher de crisper les muscles et d'étouffer sa voix…

— Monsieur Jacinto n'a jamais trouvé rien de mal à dire sur mon travail, finit-il par déclarer d'un ton clair, jovial et intéressé.

Et il enchaîna, d'un air respectueux :

— Si vous dites que ça continue comme avant, le reste, ce n'est pas de mes affaires…

La vie avait appris beaucoup de choses à Negão, en particulier à ne pas se précipiter, à garder son calme, à jouer les pauvres lorsque cela permettait de mieux s'en tirer.

— Bien… c'est ce qu'on va voir, répliqua Vigario après un long silence. C'est ce que l'avenir nous dira… Mais il faudra faire attention, mon petit. Chez nous, il n'y a pas de place pour les vagabonds. Ni vagabonds ni souteneurs…

En allumant une nouvelle cigarette, il ajouta :

— Ou tu travailles ou tu cours les putes. Les vieilles putes, c'est ce que je te conseille…

Avec son sourire aux dents en or, en se léchant la lèvre supérieure, le long de la moustache en brosse, Vigario arriva finalement à l'essentiel :

— Parce qu'avec les jeunes t'es plus à la hauteur…

Negão ne cachait pas son étonnement. Où le policier voulait-il en venir ? De quoi parlait-il ? Qu'est-ce que c'était que cette histoire de souteneur ?

Vigario le regardait avec des yeux moqueurs, le sourire forcé, comme s'il se délectait de la confusion de son interlocuteur. Il se sentait maintenant sûr de sa position. Negão venait de donner son accord, il ne s'était pas opposé à la prise de contrôle, il allait collaborer. « Ces races inférieures sont ainsi faites, proclamait souvent le policier, ils trahissent même leur mère si un supérieur le leur ordonne. » Sa promotion lui était tellement montée à la tête que ses opinions psychologiques d'autrefois prenaient désormais du corps, se transformant en formules sociologiques, englobant des populations entières, voire des continents. Lancé dans une de ces envolées, le commissaire perdait pied, il oubliait les convenances, la peur, se gonflant en une sorte de théoricien. Là, devant lui, il tenait un nègre, un nègre pauvre, minable, qui venait de s'avouer vaincu, qui ne demandait qu'à collaborer, soumis à ses ordres… Voilà où en était rendu Vigario. Un vrai gâchis. Car à l'époque où il était encore dans la brigade des mœurs, Vigario ne se serait jamais permis une erreur si flagrante, si funeste. Comme quoi, non seulement le pouvoir corrompt, mais il fait perdre le sens du réel.

Durant un long moment de silence consacré à faire des gribouillages sur une feuille de papier, le policier savoura le désarroi de Negão. Puis, tout en contemplant l'élégance de la plume en or de son stylo Mont-Blanc, Vigario enchaîna :

— Une petite pute insatisfaite, mon cher, c'est la pire des choses. Il lui faut un mâle. Un vrai ! Et d'un ton pensif : Je n'ai jamais vu une rouquine se contenter d'un nègre... Trop chaudes, il leur faut un homme.

Sans donner à Negão le temps de faire le lien entre Doralice et ce que lui disait Vigario, ce dernier poursuivit du même ton pensif, comme s'il cherchait simplement à expliquer un problème difficile à un élève obtus :

— Même pas besoin de demander... deux bonnes taloches pour lui montrer le chemin, et elle suçait à me faire mal aux couilles... Une vraie petite salope. Puis, dans le cul... pour qu'elle goûte à ma force... Après trois jours avec toi, la putain avait encore cette envie d'homme, ce manque de bite...

Negão sentit soudain une oppressante sensation de chaleur monter dans sa tête, accompagnée d'un battement dans les tempes et d'une froideur qui lui crispait les muscles. L'image de Doralice lui vint enfin à l'esprit, renvoyant au loin la voix de Vigario. Une sensation étrange, comme dans une transe, envahissait l'esprit du mulâtre, et il entendit à peine les dernières paroles de Vigario :

— C'est pour ça qu'à l'avenir je veux te voir loin du Mangue. C'est un ordre. La petite pute a un nouveau patron... un Blanc... Elle va enfin pouvoir jouir, la Doralice.

Le nom de la compagne éclaircit d'un coup la pensée de Negão, en lui redonnant un calme de bête en chasse. L'affront était de taille. Ce crapaud avait besoin d'une correction. Mais l'image de Doralice désormais salie et soumise au bourreau précipita l'action. D'un geste souple, Negão s'était saisi du cou de

Vigario qui, pris d'épouvante, cherchait son revolver. Une fraction de seconde à peine, et flac! la main gauche de Negão plongeait déjà le gros stylo dans l'œil du policier. Comme une huître crevée, tout à fait. Au lieu de crier, Vigario émit un grognement en redressant son corps, comme s'il bâillait, figé et grotesque, la tête en guise d'encrier. Negão s'empara du revolver. À peine Vigario eut-il le temps de se pencher sur la table que l'impact de la balle le projetait vers l'arrière, raide contre le mur.

Vigario paraissait vraiment mort: les bras écartés, inerte, le Mont-Blanc planté dans l'œil et la chemise blanche pleine de sang. En fait, il s'était figé de peur, comme on perd connaissance lorsqu'on se rend compte que, par mégarde, on est entré dans la cage du lion. Negão s'était trompé dans le feu de l'action; sinon, il aurait achevé la vermine, sur-le-champ.

Il fallait agir vite. D'un bond, il était à la porte. Dans la pièce voisine, un des subalternes violait la communiste sur le grand pupitre du sous-commissaire. Sans se laisser distraire par l'incongruité de cette scène, Negão tua le flic qui tenait la fille. Celui qui la baisait se retourna, étonné, encore secoué par les spasmes de l'effort et les genoux mous à cause de sa position inconfortable; il se redressa juste assez pour s'éloigner de la fille. Une balle tirée avec précision à l'angle de la mâchoire lui fit sauter la calotte crânienne un peu en biais, projetant son corps vers la droite, dans la même direction que les éclats de cervelle. Negão vit la scène comme dans un film au ralenti, le premier tombant ensanglanté sur la poitrine dénudée de la fille, pendant que le violeur basculait sur le plancher, les jambes ouvertes, encore en érection. Seuls les cris de la communiste, devenue soudainement hystérique, le dérangeaient. Il prit la mitraillette et le sac de toile, et par la fenêtre basse, d'un saut gracieux, il gagna le terrain vague qui se trouvait derrière le commissariat, puis disparut dans la nuit chaude.

La suite, on la connaît. Battue nocturne un peu tardive, sans plus d'espoir de retrouver l'agresseur. C'est qu'il avait fallu attendre longtemps les renforts, précédés de discussions interminables ponctuées d'exclamations et d'opinions, avec tous les policiers tapis de peur dans l'enceinte du commissariat : « Ils étaient au moins cinq » ; « armés jusqu'aux dents » ; « coup monté d'une brigade communiste » ; « rien à voir avec les méthodes du P.C. » ; « sûrement des guevaristes ou des maoïstes » ; « révolution bolchevique » ; « Octobre rouge à la veille du carnaval » ; « soulèvement des masses, guérilla urbaine ! »

Toute la nuit, les détachements de la police politique à Rio et dans les environs s'affairèrent à arrêter des étudiants, des journalistes et des ouvriers qui n'avaient pas eu l'astuce idéologique de prévoir l'insurrection armée qui venait de commencer.

Sorti de sa léthargie, et avant d'être embarqué dans l'ambulance, Vigario avait eu le temps d'identifier le terroriste :

— Negão… un nègre du démon… Très dangereux ! Plus rouge encore qu'un communiste. Anarchiste et vagabond ! Faut chercher des informations à Rio, à la brigade criminelle. Favela Joie de Vivre… Doralice, au Mangue… Chauffeur Pindoca, maître Sirigaito Alfombra et d'autres encore… Tous des révolutionnaires endurcis… anarchistes désespérés… ennemis jurés de l'ordre chrétien et démocratique.

Puis, entouré du respect dû à un général tombé au champ d'honneur, Vigario reperdit connaissance. La communiste violée, la pauvre, fut aussitôt transférée au siège de la police militaire de la marine, non sans avoir bénéficié au préalable d'un solide coup de poing dans le ventre, histoire de faire cesser ses cris. Complice de l'attentat !

Negão eut tout le temps de disparaître. À l'aube, après une longue marche, il prit le train à la station Rocha, avec les ouvriers, en direction de Rio, gare Leopoldina.

8

La foi fait bouger les montagnes, dit-on ; et l'amour fait bouger les hommes. Lequel des deux est le plus fort, le plus profond ? La foi, sans aucun doute, tout le monde le reconnaîtra. Mais à long terme seulement, pour les choses durables. Car pour le court terme, pour l'éphémère, l'amour est indiscutablement le plus puissant. Lorsqu'il faut agir vite, par exemple, sur le coup, impulsivement.

Negão fut assailli par le doute après avoir agi par amour. La jalousie est un sentiment pénétrant, corrosif, qui n'épargne aucun objet sacré. L'image de Doralice dans les bras de Vigario, soumise et peut-être complice, polluée en quelque sorte, ravivait chez l'homme une insécurité ancienne, jusqu'alors enterrée sous les décombres des combats gagnés. Cela se traduisait par une amertume dans la bouche, par une sensation de dégoût face au monde, par une peur infinie du ridicule. Et si c'était vrai ? Un drôle de sentiment qui ennuage la matinée, cachant le soleil et les couleurs voyantes des décorations du carnaval pendant que l'autobus roule le long de l'avenue Vargas avec Negão coincé entre un appuie-bras et une jeune fille presque soupirante.

En repensant à son geste, il se rend compte qu'il est amoureux. Mais le revolver accroché à sa ceinture lui rappelle surtout le danger. Comme il serait bon de tout oublier, de revivre les moments d'insouciance auprès de Doralice, de redevenir le

Negão d'il y a à peine quelques heures. Peut-être même de n'avoir pas rencontré Doralice sur son chemin. La Noire de la macumba a pourtant tout prédit : « Il y a une fille blanche sur ton chemin ; elle est le croisement de ton chemin, ton point d'honneur. » Sacrée noire Ofelia, comment a-t-elle pu tout deviner ? D'un seul coup, la fatalité a chambardé sa vie, comme un coup de dés malchanceux où l'on mise sa fortune, pense-t-il. Sans Doralice, Vigario n'aurait pas été sur son chemin, il n'y aurait pas eu de voyage à Belford Roxo et la belle vie aurait continué. Le pur hasard, croit-il. Mais que vaut une vie où il ne se passe rien ?

Derrière la fenêtre défilent les décorations multicolores du carnaval. Dans une sorte d'attente infantile, toute la ville se prépare pour cette fête si désirée. Les réverbères sont déguisés en clowns de papier mâché, reliés les uns aux autres par des guirlandes argentées auxquelles pendent des drapeaux de toutes les couleurs. Au milieu de l'avenue, d'énormes colonnes bariolées exhibent de joyeuses scènes de danses, avec des femmes bronzées et presque nues qui s'entortillent autour de musiciens en uniforme. Les formidables gradins des deux côtés sont aussi couverts de tissus et de serpentins, prêts à recevoir les spectateurs des écoles de samba. Même sans musique, l'ambiance est déjà réjouissante, se mariant allègrement avec le ciel et le soleil lumineux du matin.

Dommage pour Negão. Les événements de la veille l'ont fait sauter directement au carême, et il soupçonne la foule excitée de le chercher pour le lyncher, comme on le fait avec l'effigie de Judas, le Samedi saint.

L'autobus laisse le Mangue derrière lui ; le trafic se fait plus intense, et du pavé monte une masse épaisse d'air chaud qui brouille la lumière du soleil. Telle une espèce de poussière qui englue la ville colorée. Intoxiqué par les émanations d'huile et de carburant, le chauffeur accélère tout en chantant à tue-tête ses tangos comme si c'étaient des airs d'opéra. Les passagers sont désormais agglutinés en une masse informe, paralysés, l'air hagard, avec dans les yeux ce petit grain de cruauté nécessaire pour commencer une nouvelle journée de travail. Passés du sommeil à la transe agressive, devenus robots, ils ne remarquent plus rien.

Le véhicule prend enfin le tournant qui mène à la place Tiradentes. Reprenant vie à la vue de ce quartier dans lequel ils travaillent, plusieurs passagers se remuent pour atteindre la sortie. La main plongée entre les fesses de la petite maigrichonne, le médius légèrement recourbé pour épouser l'anatomie de ces lieux occultes, dans un geste ferme et tendre à la fois, Negão pousse sa camarade de voyage vers le côté, en direction d'un monsieur d'âge mûr. Il le fait comme on passe le ballon à un joueur mieux placé, renonçant de la sorte au tir au but impossible dans les circonstances présentes, magnanime. Seuls ses yeux croisant ceux de la fillette indiquent avec gêne qu'il regrette ce geste ; ce geste et tout le reste. Comme s'il s'excusait, pour ne pas blesser les sentiments juvéniles de la maigrichonne qui soupire de déception. Le regard mouillé et las qu'elle lui lance alors exprime la promesse d'autres humidités, d'autres marécages qu'il n'explorera jamais. D'un toucher plus profond en poussant ses fesses, il lui fait comprendre à quel point il a conscience de cette occasion perdue : un toucher pénétrant, pour fixer les souvenirs. Ah, quel dommage ! D'autres plus chanceux récolteront sûrement les fruits juteux de ces semailles… Hélas, il faut descendre. À l'extérieur de l'autobus, la ville tourne de plus en plus vite malgré la chaleur, menaçante et gourmande, cherchant partout à dévorer ces moments intimes qu'ils viennent de partager.

Negão descend donc à la place Tiradentes, juste à côté du siège de la sinistre division d'ordre politique et social, où la souffrance des pauvres créatures ne cesse jamais, jour et nuit. Insensible au danger, il se dit qu'il sera plus en sécurité ici qu'en tout autre lieu. La ville bruyante, à cette heure du matin, lui paraît la meilleure cachette.

D'un pas débonnaire, il traverse la place en bifurquant vers la rue Carioca, pour entrer dans un restaurant portugais comme s'il n'avait rien d'autre à faire.

L'heure des petits-déjeuners tire à sa fin, et les lieux déserts dégagent une fraîcheur bienfaisante, aux senteurs de café et de pain frais. Negão a faim tout à coup.

Maintenant, attablé bien au fond du restaurant, protégé par la pénombre, à l'abri du regard des passants, Negão a une faim colossale. Toute une nuit de marche, et à jeun depuis la veille au matin. Mais il ne lui reste en poche que de la petite monnaie : juste assez pour une tasse de café au lait et un morceau de pain, le déjeuner des pauvres. Le garçon se lève pour prendre sa commande, sans insister sur les œufs frits, méprisant envers ce mulâtre fauché qui a sûrement travaillé toute la nuit. Puis il se replonge attentivement dans les nouvelles du turf de la dernière page du journal. Ce faisant, il exhibe la une au client retardataire : « Insurrection communiste à Belford Roxo. Plusieurs morts. L'armée en état d'alerte ».

Negão jubile silencieusement en sirotant son café réchauffé.

Bonne chose ! Quelle veine ! C'est sûrement à cause d'eux que j'ai pu m'échapper… Si ça se trouve, ils ne sauront jamais qui a tué Vigario. Qui sait ? Peut-être que les communistes ont attaqué le commissariat… Quelle chance incroyable ! Sarava* ma Nega Ofelia… merci à tous les esprits de la macumba ! Vive les communistes…

Réjoui par cette nouvelle, le cœur léger, il mâche lentement son pain, en faisant durer le plaisir.

---

*   Salutation rituelle de la macumba.

Eh bien… les jours se suivent et ne se ressemblent pas… J'ai toujours pensé qu'il ne faut jamais désespérer… Quand on n'a rien à perdre, on ne peut que gagner…

La cigarette pour finir le café, les jambes détendues, Negão demande le journal que le garçon vient de poser sur la table. Rien de mieux qu'un journal du matin avec de bonnes nouvelles pour accompagner le café et la première cigarette de la journée. Et c'était *Le Jour*, un journal populaire agréable à lire, plein de photos et de faits divers de nature à captiver l'homme de la rue : tout ce qui a trait au crime et aux affaires scabreuses y est détaillé en mots et en phrases bien simples. Tout le contraire de ces journaux prétentieux qui ne parlent que de politique et de choses de l'étranger, avec des tournures à n'y rien comprendre, en caractères minuscules et sans photos. L'article qui intéresse Negão est pour sa part imprimé en caractères gras :

Encore un méfait des terroristes voulant détruire l'ordre démocratique. Hier soir, vers les 18 h 47, heure locale, un groupe de fanatiques armés a attaqué le commissariat de police de la paisible localité de Belford Roxo. L'action des scélérats, décrite comme un geste de désespoir dans le but de libérer une subversive détenue pour interrogatoire dans les locaux de la police, a failli avoir du succès. Mais les criminels ne comptaient pas sur la présence d'esprit et la combativité des agents de la DOPS, qui ont réussi à mettre en fuite les guérilleros. Des renforts venus de Rio et de la base militaire du Galeão ont encerclé une grande partie de la ville, et la battue maison par maison a déjà permis un nombre appréciable d'arrestations. Les porte-parole officiels se refusent à révéler s'il y a des victimes parmi les valeureux membres des forces de

l'ordre. Des témoins oculaires et des sources anonymes dignes de foi parlent cependant de plusieurs morts et blessés dans les deux camps. Le commissaire adjoint de la ville a préféré ne pas donner de précision en affirmant : « Les horreurs des communistes ne sont pas de notre compétence. Nous nous effaçons pour le moment, en laissant la place aux autorités concernées qui nettoieront la région pour que les familles des travailleurs puissent enfin dormir en paix. »

Une conférence de presse aura lieu cet après-midi dans les locaux du ministère de la Marine pour faire le point sur cet horrible acte de lâcheté des gauchistes.

Nos reporters, Amleto Gouveia et Gumercindo Picao, accompagnés du photographe Espoleta, ont malgré tout pu recueillir plusieurs déclarations de voisins effrayés, dont quelques-uns ont été témoins oculaires de ces atrocités.

« Armés comme des fous, en vestes de camouflage, ils ont attaqué avec des grenades. Sûrement des grenades russes, de mauvaise qualité, qui n'ont pas explosé. Heureusement ! » (Mme Maria, mère de famille)

« La nuit entière, les ambulances repartaient vers l'hôpital Getulio Vargas chargées de blessés. L'armée ne veut pas qu'on en parle, parce qu'ils ne veulent pas divulguer leurs pertes. » (M. X., qui a préféré ne pas s'identifier)

« De vrais fous. Des terroristes. Entraînés et armés par la main de Fidel Castro. On ne peut plus vivre en paix dans la plaine de Caxias. » (Dr Policarpo Besouro, pharmacien)

Les entrevues se succèdent ainsi tout au long des deux premières pages, toutes très vivantes pour compenser la malencontreuse absence de photos. Certains ont cru voir des Chinois dans les parages. D'autres évoquent des scissions dans les diverses factions révolutionnaires. Il y en a qui extrapolent sur le retour des politiciens de gauche exilés en Uruguay, à la tête d'un détachement de Tupamaros. Des nouvelles bien excitantes, certes, mais qui ne satisfont plus l'appétit de Negão. Aucune mention de la mort de Vigario et des autres. Seul le signalement de la jeune communiste lui permet de faire un lien avec ce qu'il a vécu. Pourtant, il est resté dans les broussailles avoisinantes jusqu'à neuf heures et il n'a rien entendu. Très étrange. Moins rassurant que ce qu'il a cru au début. En tout cas, la confusion entourant les événements joue en sa faveur. Pour le moment, tout au moins.

Negão étire la lecture le temps d'une deuxième cigarette pour se reposer les jambes et profiter de la fraîcheur. Il lui faut attendre le coup des dix heures pour pouvoir rendre visite à un avocat qu'il connaît. C'est un type lié à son compère Jacinto, qui l'aide souvent dans les situations délicates et qui pourra sans doute lui dire exactement ce qui se passe.

9

José Salles, avocat, défenseur de syndicalistes et d'intellectuels, exerçait une certaine influence dans les milieux de la gauche. Jacinto avait même laissé comprendre à Negão qu'il était de mèche avec les communistes. Un compagnon de route en quelque sorte, mais distant, pour garder les apparences. Le compère croyait que si, un jour, les militaires retournaient dans leurs casernes, le docteur Salles deviendrait au moins député ou sénateur. Un type fiable, ayant des intérêts personnels dans les affaires de Jacinto. Cet avocat était la seule ressource de Negão dans cette impasse.

Sa visite non annoncée lui paraissait presque un manque de respect, mais Negão avait l'excuse d'être en cavale. La discrétion était de mise, ce qui lui permettait cette intrusion. Et puis, qui sait, il y avait peut-être des messages pour lui ? Prenant son courage à deux mains, il se dirigea vers l'adresse conservée en mémoire depuis longtemps.

C'était un cabinet discret, proche du couvent Saint-Antoine, dans un immeuble à bureaux si vaste qu'on pouvait facilement se perdre dans la foule. Surprise dans son travail matinal, la secrétaire, une mulâtresse opulente et très maquillée, se dépêcha d'avertir le juriste qui ne tarda pas à recevoir Negão. Le docteur Salles, un homme important mais affable, dont le pouvoir et les études n'avaient pas perverti l'esprit, cherchait maladroitement à cacher son étonnement de voir Negão dans son cabinet. Ses sourires trop figés, ses manières trop familières, sa camaraderie syndicaliste ne suffisaient pas toutefois à voiler son malaise. Negão le percevait dans le regard, dans l'excès de sollicitude, dans l'empressement de son interlocuteur. D'abord, il ne s'était pas attendu à être reçu aussi vite; ensuite, la personne de cet avocat contrastait trop avec l'image que lui en avait donnée Jacinto. Negão avait d'ailleurs surveillé très attentivement l'immeuble avant de se décider à entrer; il s'était baladé un peu sur les autres étages pour reconnaître les lieux, pour s'assurer que l'endroit ne présentait aucun danger. Maintenant qu'il se trouvait dans le cabinet cependant, l'atmosphère lui paraissait lourde. Negão n'était pas un habitué des choses juridiques et cet excès d'affabilité de la part d'un docteur le mettait sur ses gardes.

Transpirant dans son complet sombre, son gros corps un peu maladroit, son visage intelligent derrière les lunettes épaisses, tout dans cet homme correspondait à l'image d'un véritable avocat. Il paraissait n'avoir qu'une seule idée en tête: rassurer Negão. À tout prix. Et cela même si le mulâtre ne disait pas grand-chose. Le discours saccadé du docteur Salles trahissait une certaine nervosité.

— Non, il ne s'est rien passé. Des histoires sans importance. Rien qui nous concerne, en tout cas… Non, Jacinto est hors de danger… Ne vous inquiétez pas, ils vont le laisser en paix… Des trucs politiques? Non plus… ce n'est qu'une couverture pour étouffer l'affaire, en attendant que les choses se tassent… Des morts? Tu dis, des morts?… Je ne suis pas au courant. Mais tu peux être sûr qu'ils vont étouffer l'affaire… Il y a de gros intérêts en jeu, je t'assure, et les gens de Jacinto vont pouvoir travailler en paix… Attentat? Non, je ne crois pas… Des racontars de journalistes pour justifier les opérations militaires dans la plaine de Caxias… sans aucun doute… Je suis peu informé pour le moment… mais si tu veux en savoir plus, il faudra repasser en soirée… On se donne rendez-vous ? Je pourrai avoir plus de renseignements… mais les choses ne changeront pas radicalement, rien de nouveau va arriver. Toi, tu crains quelque chose ? Il faut m'en parler, me mettre au courant, pour qu'on puisse prévenir les camarades, pour qu'on puisse se défendre… Ne sommes-nous pas camarades ?…

À ce moment, la secrétaire s'amena avec deux tasses de café, en demandant si le docteur Salles l'avait appelée. Celui-ci la remercia d'un geste paternel. Elle repartit, souriante, en exhibant des fesses bien faites. Negão ne comprenait pas grand-chose aux paroles du magistrat, mais la forme du langage et le visage blême de son interlocuteur lui disaient de se méfier, de jouer les simples d'esprit.

— Et moi, docteur, qu'est-ce que vous me conseillez de faire ? Je suis un homme trop simple pour ces choses. Sans mon compère Jacinto, je ne sais pas comment agir… Alors je vous fais confiance.

— Pour le moment, l'important, c'est de se calmer… d'attendre les événements… avoir de la patience. Le cours des affaires est en effet trop complexe. Mais j'ai mes contacts. Si ça devient politique, tant mieux… On agira dans d'autres sphères, on fera appel à d'autres pouvoirs… Un gars comme toi va passer tout à fait inaperçu. Dans quelques semaines, les choses seront de nouveau en ordre… Je m'occupe de tout. Tu pourras alors rejoindre Jacinto… N'oublie pas, le carnet de commandes est très rempli. Il nous faut notre Negão !

— Mais en attendant, docteur ?

— … Hum… si… si tu pouvais prendre le large… te faire bien discret, donner le temps… pour qu'on arrange tout, pour que je règle les affaires… T'as pas un refuge quelque part… une planque sûre ? Tu te planques pour un certain temps, puis moi, de mon côté, je t'envoie discrètement un peu d'argent... de quoi vivre en attendant. Pas beaucoup, tu sais... mais suffisamment pour que l'attente ne soit pas trop pénible... Jacinto te considère comme un fils, tu sais ?... Il ne va pas te laisser tomber. Fais confiance, mon brave, je m'en occupe !

— Je vais faire comme vous le dites, docteur Salles... Ça fait du bien d'entendre parler de Jacinto...

— T'es bien sûr de ta planque ?... Les temps sont quand même difficiles... Pense bien à ta personne, d'accord ? Et alors, où est-ce que je te contacte ?

Sans hésiter, très naturel et humble à la fois, comme la vie et la misère le lui avaient enseigné, Negão lui confia à voix basse :

— J'ai des copains à Magé*, de l'autre côté de la baie. Je suis bien connu là-bas... De la famille, pour ainsi dire. Ils peuvent me garder... J'allais justement prendre le bateau pour Niterói**, pour traverser, puis l'autobus pour aller à Magé. C'est alors que l'idée m'est venue de venir vous demander de l'aide. J'y retourne immédiatement. Une fois bien caché, je vous fais savoir, sans faute. J'appelle ici, disant que c'est de la part de Joaquim. C'est mon nom. Joaquim da Silva. Mon nom de baptême. Alors vous saurez que c'est moi, d'accord ?

— Bien, Joaquim... très bien, mon cher Joaquim. L'affaire est réglée. J'attends ton appel avec impatience. Tu auras alors des nouvelles de Jacinto, c'est promis. Mais surtout, du calme... se faire oublier, pour un peu de temps seulement... oublier tout ça... Je m'en occupe... aie confiance en moi !

Et accompagnant Negão vers la porte, d'un air radieux et paternel, il ajouta :

---

*   Ville de l'État de Rio de Janeiro.
**   Ville voisine de Rio de Janeiro, de l'autre côté de la baie Guanabara.

— Sacré Negão... je veux dire, monsieur Joaquim...

— Docteur Salles, que Dieu vous garde. Vous pouvez toujours m'appeler Negão. C'est ainsi que mes amis me connaissent.

— Bonne journée, monsieur Negão. Confiance en moi. À votre service.

D'une poignée de main solide pour témoigner de la confiance, mais avec les yeux baissés pour exprimer la soumission, Negão passa maladroitement la porte. Une inclinaison de tête vers la secrétaire, en la remerciant humblement pour le café, Negão sortit du cabinet comme un vrai pauvre. Pauvre et timide. Pas très futé.

Au lieu de se diriger vers l'ascenseur, Negão inspecta rapidement les couloirs et opta pour l'escalier de secours. Le pas décidé, l'œil alerte, le sac de toile entrouvert se balançant au bout de son bras comme s'il allait au marché, mais les muscles tendus. En moins de deux, presque en bonds, il gagna le rez-de-chaussée et s'échappa par l'entrée de service pour se perdre dans la foule de la place Carioca.

Il avait tellement peur qu'il a dû pisser dans son pantalon. Ça paraissait trop dans ses yeux, dans le tic au coin des lèvres, dans sa paume trop froide, humide... Même la secrétaire était au courant... elle avait un beau cul... C'était comme s'ils m'attendaient... Moi ou quelqu'un d'autre... Il sait tout. Peut-être qu'en ce moment même Jacinto est déjà mort. Si mes questions l'ont rassuré, c'est qu'il avait peur. Ah, ces avocats... tous les mêmes, au civil comme au criminel... Non, ils ne me suivent pas. C'est qu'il n'était pas sûr du genre de visite... sinon les flics seraient déjà là. Peut-être... peut-être pas... mais il me faut faire gaffe. Ce n'était pas le même genre d'homme dont m'avait parlé Jacinto. Celui-ci avait peur... Et lorsqu'ils ont peur...

Plongé dans ces pensées, il fit plusieurs fois le tour de la place en passant par les rues latérales et en revenant sur ses pas, les yeux scrutant sans cesse la masse humaine qui l'entourait. Rien. Le champ était libre. La foule se déplaçait avec insouciance, et pas de trace de surveillance. Negão songea alors à aller faire un tour du côté du quai des bateaux en partance vers Niterói, rien que pour confirmer ses appréhensions. Mais il abandonna aussitôt l'idée. Trop risqué maintenant. Et puis ça ne lui donnerait rien ; cette information n'était pas importante pour le moment. Il n'avait pas de temps à perdre avec la curiosité.

Le coup de la famille à Magé lui paraissait bien drôle… Lui, de la famille ! Il n'avait jamais mis les pieds à Magé. Mais cette histoire allait sûrement éloigner les chasseurs vers l'autre côté de la baie, vers la plaine de nouveau, peut-être même qu'ils retourneraient à Caxias et dans les environs, en lui laissant le temps de respirer. De toute façon, cet avocat ne semblait pas être un homme en qui l'on pouvait avoir confiance. Trop mou.

Cette connaissance des hommes et du terrain, ce jugement rapide et ces stratégies économiques, ce sang-froid lui avaient permis de s'en sortir malgré les débuts difficiles. Quatre siècles d'esclavage et de luttes forment des natures exceptionnelles, les seules aptes à survivre dans le monde de la répression. En effet, au moment précis où Negão sortait de l'immeuble, dans un certain cabinet, après avoir respiré profondément et retrouvé ses esprits, cigarette au bec, le docteur Salles composait un numéro maintes fois utilisé auparavant ; un numéro très secret, discret, réservé seulement à certaines occasions spéciales. Et il tenait les propos suivants :

— Allô ? C'est bien le bureau du colonel Ardovino ?… Dites-lui, s'il vous plaît, que c'est un message de la part de Salles, d'accord ?… Ardo ? Salles à l'appareil… T'avais raison… Non, pas Jacinto. Le nègre, en personne… Bah, je ne pouvais pas appeler… si, armé… au moins un revolver. Peut-être même quelque chose de plus dans un sac en toile. […] Non, pas agressif.

Plutôt désarçonné, perdu… Très gentil. […] Non, pas de soupçons, pas du tout. Il ne semble rien savoir. Cherchait Jacinto… sont tous désorganisés. […] Attends ! Il s'en va à Magé, en passant par Niterói… par les bateaux. […] Directement d'ici, j'en suis sûr. […] Tout à fait confiant, sans autre point de chute que sa famille à Magé… De toute façon, il va me donner des nouvelles… il a besoin d'argent. […] Si tu te dépêches, on peut le cueillir à l'embarcadère. Sinon, à l'arrivée, à Niterói. […] Costaud, très grand, vous ne pouvez pas le manquer. […] D'accord, je reste ici… mais tu envoies des hommes, au cas où ! S'il se méfie, c'est sûr que je suis dans l'eau chaude. Mieux encore, je pars d'ici jusqu'à ce qu'il soit pris, d'accord ? […] Non, c'est mieux, il faut que je parte… […] D'accord, je te rappelle pour avoir des nouvelles… D'accord, d'accord… comme d'habitude… Tu me tiens au courant… D'accord… […] Non, pas peur… un peu tendu, mais je suis habitué à ce type de gens… D'accord. À tout à l'heure… Attends ! Il s'appelle Joaquim da Silva… Negão c'est seulement pour les amis… Ciao, Ardovino, O.K. !

Pauvre Joaquim da Silva. C'était en fait un camarade de Negão ; plus jeune, son grand ami du temps de l'orphelinat. Lui et Zacarias étaient inséparables. Car Negão s'appelait en fait Zacarias da Costa. Pourquoi « da Costa » ? C'était un nom d'orphelinat. Tous les Noirs étaient nommés « da Costa », car le directeur pensait que ça leur convenait mieux d'être « de la côte », de la côte d'Afrique. Les autres, les moins foncés étaient les « da Silva », c'est-à-dire « de la forêt », métissés d'Indiens. Latiniste et amateur des classiques portugais, le directeur divisait ainsi le monde des orphelins en « da Costa » et « da Silva », et cette classification le remplissait de sérénité. Les rares enfants blancs, les vrais Blancs, ceux-là partaient en adoption — dans des familles ou chez les pédérastes, ça dépendait —, en limitant le monde des orphelins à la dyade rassurante et d'extension illimitée.

Le pauvre Joaquim da Silva, petit copain de Negão, était métissé d'Indien ; les cheveux lisses, très gentil et innocent. C'est pour ça que Negão s'était souvenu de lui lorsque l'avocat avait insisté sur la confiance. À force de faire confiance, Joaquim avait disparu un jour parce qu'il saignait trop de l'anus à la suite d'une entrevue avec l'aumônier en chef. Et il n'était jamais revenu. De vieilles histoires, qui ne veulent rien dire. À cette époque Negão avait à peine dix ans. Drôle de mémoire, pourtant...

10

Jeudi midi. Negão suit le flot dense des piétons le long de la rue Passeio, en prenant bien soin de ne pas se faire remarquer. Habitué à la ville, tout à fait dans son élément, il sait repérer les recoins discrets, les passages de marchandises ou les cours intérieures pour mieux se dissimuler. Mais son meilleur camouflage est la foule. Il marche de façon élégante, ni trop vite ni trop lentement, épousant le mouvement du flot comme le font les poissons. Enveloppé de la sorte, il sait s'arrêter ici et là, pour profiter des devantures des magasins, des postes de télévision allumés dans les vitrines, des kiosques à journaux autour desquels les gens s'agglutinent. Ce sont des moments de répit, des occasions de surveiller et d'analyser le terrain, de changer brusquement de stratégie ou simplement de se faire plaisir. Puis il reprend le courant, parfois dans le sillon d'une paire de fesses ou d'un joli visage, se laissant dévier de son chemin, en suivant le hasard si riche en possibilités. Mais sans jamais perdre son but de vue. Stratégie et tactique, tel est le rythme à adopter, au dire de son copain Sirigaito Alfombra, un homme de grande instruction et barbier de son état. Je dis bien barbier, maître barbier, puisqu'il ne s'accommode pas des nouvelles modes étrangères qui veulent qu'un artiste du rasoir devienne coiffeur. Sirigaito peut perdre patience si on l'appelle « coiffeur ». Et gare au rasoir !

C'est de ce pas fluide et attentif, surveillant le terrain et l'occupant discrètement, dans une avance sûre aux arrières bien protégés, que Negão se dirige vers la Lapa. Là, dans ce quartier pauvre de vieilles demeures, encombré de dancings, de bordels et de maisons de chambres à l'odeur d'oignons et de haricots rances où pullulent les blattes, il se sent plus à l'aise. Il est vrai que la police y est plus assidue qu'ailleurs, avec sa cohorte d'indicateurs et de sbires éternellement appuyés sur les nombreuses tables de billard américain. Des bars et des restaurants à n'en plus finir, des voyantes et des tireuses de cartes, des salons de tatouage, des cireurs de chaussures encombrant les trottoirs, des coins de paris et des cinémas pornos. Curieusement, c'est dans cette jungle que le fauve se dissimule le mieux, qu'il trouve pitance et repos, camaraderie et point de fuite. Tandis que dans les quartiers ouvriers, ou le centre-ville plein d'immeubles commerciaux, là, un homme comme Negão a du mal à passer inaperçu ; il se distingue trop sur le fond grisâtre, et sa démarche harmonieuse attire inévitablement le regard du badaud.

La Lapa n'est plus ce qu'elle a déjà été, naturellement. Tout se détériore avec le progrès, à commencer par la nourriture qui est désormais servie à des comptoirs où l'on mange debout, sans aucun respect pour la digestion. Il n'est pas étonnant qu'il y ait de plus en plus de fous dans la ville, des légions de clochards et d'enfants trop maigres, et même des familles entières qui occupent les rues en guise de campement. Mais un certain éclat des jours passés subsiste encore, et les pauvres y trouvent refuge pour s'entasser. On a beau être pauvre, il faut tout de même habiter quelque part, boire sa cachaça tous les jours et ingurgiter un tant soit peu de gras. Sinon, à quoi ça sert de vivre ? La Lapa survit ainsi, plus encombrée, plus nerveuse, les Portugais des bars plus hâtifs dans le service et les putes plus habiles dans le pompage. Ces dernières souffrent surtout de la concurrence des travestis — il y en a de si beaux, de si parfaits qu'un client ne peut pas savoir s'il a été assommé par une fille ou par un mec. La vie moderne !

Negão veut rencontrer Sirigaito. Mais tout le monde sait que l'on ne trouve jamais le maître barbier dans son salon avant une heure de l'après-midi. C'est que son habileté au rasoir ne se manifeste qu'une fois que le soleil a commencé à décliner. Et puis, avec l'âge, le foie métabolise plus lentement. Sirigaito est un amateur de scotch. Ça va de pair avec la culture, avec l'érudition. « La cachaça est une boisson d'ignorants, dit-il à qui veut l'entendre. Les lords et les artistes ne sirotent que du malt. » Chacun ses goûts.

Cette obligation d'attendre explique les broderies que fait Negão en chemin, malgré les besoins de la cavale. Il a l'air de se promener pour jouir de la ville, comme un garçon de courses ou un livreur qui sait que son patron ne reviendra qu'après quatre heures. Il y en a, des patrons comme ça, surtout ceux qui emmènent leurs secrétaires à l'heure du midi, histoire de dicter quelques lettres tout en mangeant. De bons patrons, d'ailleurs, jamais de mauvaise humeur. Leurs employés peuvent alors se promener après manger, au grand profit de leur digestion. Negão se perd ainsi dans cette foule, et il peut se relaxer.

Il s'arrête devant un magasin d'instruments de musique, *Filarmonia da Lapa*, qui est une véritable caverne d'Ali Baba. Pêle-mêle, les guitares avec les percussions, des bouts de saxophone, des harmonicas de toutes les tailles, des violons usés par le temps et même un piano au dentier trop ébréché. Tout ça amoncelé dans un fatras inimaginable. Son propriétaire, le mulâtre Mozart Sampaio achète et vend, des instruments neufs ou d'occasion, gagnés ou volés, peu importe. Seul l'amour de la musique compte dans ces lieux. La boutique est aussi encombrée de clients qui essaient la marchandise, et l'effet d'ensemble est celui d'un orchestre s'apprêtant pour un spectacle.

Un coup d'œil rapide à l'intérieur révèle à Negão que Sirigaito n'est pas à sa place habituelle, là où il prend le café en compagnie de Mozart. Ce dernier s'affaire derrière le comptoir à accorder une guitare au manche fêlé. Il voit Negão et il lui fait un signe négatif de la tête, en fronçant les sourcils et en feignant de ne pas regarder dans sa direction.

Mauvais augure. Negão se dirige alors vers le fond de la boutique, un peu à l'écart, pour essayer des bongos en attendant que le patron se libère. Negão est fou des percussions ; il se perd aussitôt en rythmes divers, le sourire aux lèvres, tout à fait fondu dans l'ambiance du magasin. Fondu et protégé par la musique, car personne n'entretiendrait le moindre soupçon envers ce citoyen penché de biais, dans l'obscurité, qui s'évertue à choisir un tambour en déployant des rumbas et des boléros.

Mozart ne tarde pas à venir le rejoindre. Non, Sirigaito n'est pas dans les parages. Et la police a déjà visité de bonne heure le salon, à la recherche du barbier. Ses associés n'ont pas pu indiquer où il se trouve, car, si peu de temps avant le carnaval, il doit participer à une répétition de samba quelque part dans la ville. Mais où ? Impossible de le préciser. Sirigaito est un musicien accompli dont la réputation vogue bien au delà de nos frontières ; de nombreuses écoles de samba se disputent son talent, ici et ailleurs. Tout le monde sait que, pour ne pas faire de jaloux, le barbier-musicien entraîne parfois incognito des groupes de sambistas qui reçoivent son aide sans le dire aux autres. Quelque part dans la ville ou dans la plaine ; quelque part où l'on aime la samba… Dans une favela, sans doute. Il suffit de chercher. Sauf qu'il y a des centaines de favelas, avec des millions d'habitants, et que personne ne va se priver d'un maître comme Sirigaito à la veille du carnaval, seulement pour faire plaisir à la police. Les flics sont repartis. Mais ils doivent surveiller le salon du barbier.

Pourquoi cherchent-ils maître Sirigaito Alfombra, un citoyen si respecté, un professionnel et un artiste qui n'aime que la perfection ? Mozart ne peut pas comprendre. Ça le navre. Mais Negão comprend. C'est lui, la proie visée. Ils veulent le cerner en passant par ses amis, en lui coupant les vivres, en refermant le cercle de son monde. Mais si vite ! Comment ont-ils fait, s'il n'y avait pas de témoin ? Jacinto ? Non, Jacinto ne l'aurait jamais donné… Jamais ? Un vrai casse-tête. Rien qu'à le regarder, Mozart comprend d'emblée le désarroi de Negão. Après tout, Sirigaito est un ami commun, le mentor de plusieurs ; il faut faire quelque chose. Il faut qu'ils puissent se rencontrer malgré la surveillance. Negão est un homme sûr. Et sans connaître le fond de l'histoire — et il vaut peut-être mieux ne pas le connaître —, Mozart se sent obligé de l'aider.

— T'as besoin d'une planque, n'est-ce pas ?

— Un peu, pas pour longtemps, répond Negão, sans vouloir trop se compromettre. Juste le temps d'échanger quelques mots avec Sirigaito. Pour qu'il se tire… Il ne sait pas pourquoi ils le cherchent…

Mozart comprend alors l'urgence de la situation, surtout le danger que court Sirigaito.

— Viens, monte au dépôt. Tu te tiens coi pendant que je fais avertir le maître. Une affaire de minutes.

Et il conduit Negão au deuxième étage par un escalier sombre au fond de la boutique, derrière les étagères débordant de partitions empoussiérées et jaunies.

Le dépôt est une espèce de mansarde sombre et basse ; humide aussi, à cause du toit en mauvais état qui laisse plein d'espace pour le passage des pigeons. Il y règne une saleté extrême, comme si l'on y avait déposé des débris de la musique depuis le temps de la colonie. Le plancher est recouvert de partitions pourries, de plumes et de crottes de pigeons, le tout bien sédimenté par la pluie et les moisissures. La pièce, pourtant vaste, est encombrée de meubles méconnaissables, de boîtes d'instruments rongées par les mites, de vieux phonographes à pavillon, des contrebasses éventrées en forme de bateaux ou de cercueils d'où sortent des toiles d'araignées, de la paille et des fripes. Partout des bouts dépareillés de cuivres, d'énormes bouches de tubas noircis paraissant bâiller dans un sommeil éternel. Des formes bizarres, allongées pour la plupart, mais aussi recourbées comme des serpents ou des lianes, pénétrant les carcasses des tambours telle une jungle morte dans le brouillard. Seul un petit coin semble avoir été visité récemment : l'établi, où s'entassent les outils pour la réparation des instruments, enchevêtré de cordes et entouré de guitares à diverses étapes de démontage.

— Tu restes là, tranquille. Tu te cloîtres et tu n'ouvres qu'à moi. S'il y a de la casse, tu sors par le toit. À bientôt.

Une heure après, environ, Negão est réveillé par la voix de Mozart à travers les planches de la porte. Il s'est assoupi en regardant cette forêt d'instruments, et il ronflait de plaisir. Il a fait des rêves, différents rêves, tous très confus et parfois angoissants. Mais au moment de son réveil, il caressait Doralice dans un autobus plein de musiciens qui riaient des chants obscènes du chauffeur. C'était Pindoca, le chauffeur. Il lui faut un certain temps pour sortir tout à fait de son sommeil et, même debout, en écoutant Mozart, il garde encore un vestige de sourire dans ses yeux plissés.

Mozart n'a pas perdu de temps. Il savait que Sirigaito, averti du danger, n'était pas sorti du lit de sa maîtresse. Les autres barbiers l'avaient fait prévenir de bonne heure. Maître Sirigaito s'était simplement retourné du côté du foie, décidé à métaboliser son malt jusqu'à l'après-midi. Depuis quelques mois déjà, il a pris l'habitude de dormir chez Maria de Lourdes, sa maîtresse, qui d'ailleurs se montre ravie de cet arrangement. Jusqu'alors

Sirigaito était toujours revenu dans son propre appartement, sous toutes sortes de prétextes, même s'il était complètement ivre. En fait, il préfère dormir seul. C'est que Maria de Lourdes, une Portugaise dans les quatre-vingt-quinze kilos, a la fâcheuse habitude de se réveiller de bonne heure, de trop bonne heure. Et elle se met aussitôt à chanter des sambas et des fados avec sa voix de basse qui fait vibrer le plancher. Trop heureuse, trop satisfaite, incapable de ne pas s'exprimer. Sirigaito, par contre, est petit, mince, délicat, sensible dans son âme de créateur, et soigneux de ses choses comme pas un. C'est pour ça qu'il aime être seul dans son lit. Mais pour l'amour, et c'est là sa contra-diction d'artiste, il ne jure que par les grosses. Celles qui sont pleines d'anses et de plis, celles qui vous tiennent en équilibre sur le ventre, qui trémoussent des chairs en riant. Des seins, du bide, des fesses et des cuisses à vous faire soupirer un boucher. Celles où l'on peut se perdre, goûter l'éternité. « Seuls les chiens aiment les os », répète-t-il souvent.

Mais Maria de Lourdes a appris à servir à son musicien de monumentales rasades de scotch de sorte que Sirigaito néglige désormais de retourner dans son lit de vieux garçon. Même qu'il n'entend presque plus les envolées lyriques de sa concubine. Ce détail aura permis à Sirigaito de ne pas être arrêté aux premières heures du matin. Maria de Lourdes y voit encore une preuve de la protection que la vierge de Fatima accorde à son lit monu-mental. Elle est folle de Sirigaito. Et à sa façon, libertaire et bohème, le maître l'aime tout autant. C'est que chez les négresses toutes rondes — qu'il ne dédaigne d'ailleurs pas de continuer à fréquenter —, même chez la mulâtresse la mieux roulée, il n'a jamais retrouvé l'ombre du rythme des hanches de sa brave lusi-taine. Ni le rythme ni l'onctuosité des parties essentielles. « Un véritable spaghetti alla carbonara, de la crème pure… », confesse-t-il aux plus intimes.

Averti par Mozart, et comprenant l'urgence de la situation, il reçoit Negão assis dans le lit, comme un pacha, humant les parfums acres d'un mince et long cigare.

Sirigaito et Negão se connaissent depuis longtemps. Malgré leurs vies si différentes, leur amitié est très solide, et chaque nouvelle rencontre est célébrée avec enthousiasme. Ils trouvent parfois le temps de se raconter leurs aventures, le maître profitant à chaque occasion de l'oreille attentive de l'ami pour réfléchir au delà de l'immédiat. Souvent, Sirigaito analyse les récits de Negão avec curiosité et tendresse, avec une attention particulière pour les aspects artistiques, toujours à la recherche de leçons sur la nature humaine ou sur la vie en général. Negão aime le discours du barbier, car celui-ci a le soin de lier intimement la théorie à la pratique, que ce soit en matière de femmes, de musique ou d'action. Sa connaissance de la vie n'a pas été acquise par ouï-dire, non ; Sirigaito est encore, malgré l'âge, un homme d'action. S'il écoute son jeune ami, c'est surtout pour mieux le former, tout en élargissant son propre champ de vision. Mais, avant tout, Negão aime ces entretiens pour le plaisir d'entendre les paroles du maître, pour goûter la façon si élégante dont celui-ci fait, méthodiquement, le tour des questions les plus difficiles. Un véritable professeur. Toujours le visage triste, cependant ; mais bien peigné, les rares cheveux teints en noir pour s'harmoniser avec la moustache du même ton, et gominés un à un sur le crâne ogival. Parce que, il faut le mentionner, Sirigaito Alfombra est d'une nature mélancolique. Il fait partie de ces bons vivants qui goûtent la vie avec enthousiasme, qui ne laissent pas passer une chance, mais qui restent sans cesse insatisfaits, obsédés par la profondeur et l'obscurité de l'existence. Un artiste. De la guitare et du rasoir ; capable de tapoter un piano et même de ne pas faire mauvaise figure avec une clarinette. Compositeur, toujours élégant, et danseur exceptionnel.

Dans un bal, ses cent cinquante-deux centimètres et demi s'étirent étonnamment en faisant paraître nains les gars de la taille de Negão. On dit que même des Argentines se sont suicidées à cause de lui. D'ailleurs, s'il avait été Argentin, il serait sans doute un tanguero de renom, un as du bandonéon et du désespoir. Mais, simple Brésilien, il doit se contenter de l'exubérance tropicale et il se consacre aux rythmes allègres du carnaval. Parfois, il se laisse aller à une samba aux paroles tragiques ou à un boléro. Mais très rarement. Sa philosophie, il la passe dans la gravité de sa personne. Il paraît qu'il a été moine dans une de ses existences antérieures.

Très à l'aise devant cette incursion de la fatalité, lui non plus ne comprend rien. Mais il l'a déjà acceptée, sagement, telle une épreuve destinée à affûter son âme, comme un rasoir que l'on bat sur le cuir. Il se montre ravi de la présence de son ami Negão. Autrefois, ils se voyaient plus souvent. Au début, ils étaient même inséparables. Et c'est vrai que Sirigaito a orienté Negão vers la ville, en l'éloignant du travail d'esclave que le jeune homme exerçait comme débardeur dans le port. Negão, de son côté, était prêt pour cette évolution ; il lui manquait seulement la direction à prendre. Sirigaito est alors apparu comme un grand frère, et il a reconnu en Zacarias le camarade tant recherché. D'autres ont aussi contribué à cette orientation, comme Jacinto, qui l'a en quelque sorte adopté. Sans oublier le vieux Mindras, le capitaine de la drague : un homme perdu dans des élucubrations fantastiques, et qui a su, le premier, profiter de l'écoute avide de Negão. Mais c'est Sirigaito qui a donné corps et justification idéologique à la libération de Zacarias, à sa découverte de la ville. La ville, cette maîtresse si chaude, cette marâtre ; si vierge et si salope, si esclave et si déesse. Sirigaito est ainsi le seul ami de Negão. Les autres, ce sont peut-être des parents adoptifs, des camarades de travail ou des connaissances, mais pas des amis.

Tout en se comportant comme le convalescent qui reçoit les encouragements de la part des visiteurs, Sirigaito réfléchit sur les répercussions des événements.

— Bonne chose de faite, mon petit. Vigario ne méritait pas de vivre. Un être répugnant. Tu ne l'as pas tué, Negão, non… Tu as rendu un service moral à tous les habitants de la ville en les débarrassant du spectacle disgracieux que constituait ce policier. Faut pas t'en faire… Tu es déjà passé à l'histoire… Je te promets que je composerai une samba en ton honneur… Tu imagines : « Negão de l'Apocalypse », ou encore « Zacarias et la bête ». Tu deviendras plus célèbre que saint Georges, peut-être même un chevalier dans le panthéon de la macumba. En Angleterre, ils te feraient lord… Sir Negão ou Sir Zacarias, Earl de Belford Roxo… Tu vois la scène ? La reine tout émue, se tortillant d'envie d'uriner, te touchant les épaules avec l'épée, pour t'inviter ensuite dans sa chambre, tâter de la jarretière… Merde, que la vie fait quand même de bons coups !

Negão ne dit rien. Tout en sourires, il se contente de goûter le verbe de l'artiste pour le plaisir de la mélodie. Negão n'a pas d'instruction, mais il adore les histoires, les gens qui savent parler. Il peut passer des heures à écouter ceux qui racontent bien, et sa tête se remplit alors d'images, de films, de tableaux, de panoramas entiers et de fresques historiques. Tout cela se met à bouger dans son esprit aussitôt que le langage des autres l'excite. Il aurait tellement aimé avoir de la culture, savoir s'exprimer, lire toutes sortes de livres… La vie en a décidé autrement. L'action l'a saisi de bonne heure. Il n'a fait que glaner. Mais tous ses amis sont des gens érudits et personne n'écoute mieux une histoire que lui.

— Ça, c'est très bien, reprend Sirigaito, mais nous sommes à Rio. Ici, plutôt que de te féliciter, on te passe à tabac, sinon pire. À vrai dire, ils veulent ta peau… Il faudra trouver un moyen de te rendre invisible. Et pour un bon bout de temps. Salvador ou Recife, tout au moins, car ici ils finiront par te trouver. Ce n'est qu'une question de temps...

Sa nature taciturne reprend le dessus après les premiers moments d'enthousiasme. Il ne cherche pas à cacher à l'ami que l'impasse est de taille. Pas en pessimiste, non, en pur stratège habitué aux revers de la chance. D'ailleurs, Negão lui aussi est déjà arrivé à la même conclusion, en silence, en la gardant comme une hypothèse éloignée, funeste. Avant cela, d'autres que lui vont rejoindre l'enfer ; plusieurs, si possible. Mais cette fin ne paraît pas intéresser maître Sirigaito pour le moment. Quelque chose ne cadre pas dans le récit de l'ami. Il manque des données. Artiste, mais aussi logicien amateur — forcément, car l'existence nous confronte sans cesse avec la loi des faits et des probabilités —, il repasse méthodiquement les dires de Negão, depuis le début, depuis la rencontre avec Jacinto. Il réfléchit en regardant le plafond, mais ses questions sont perçantes.

— T'es sûr que Vigario est mort ?... Parfois ça trompe...

— Eh bien, tout s'est passé si vite... Mais le tir l'a projeté en arrière, raide. Et puis du sang en masse... Je crois bien. Dans le ventre, je crois...

— Tu crois ? La bedaine ne tue pas immédiatement. Même si c'était avec un 45... Il y en a qui s'en sortent... s'ils sont secourus assez vite, si l'hémorragie n'est pas trop forte... si, si... Avec un calibre 38, alors, il ne faut jamais jurer...

Et il continue dans la même veine, en tournant autour du pot, très diplomate, allant et venant, sans même mentionner le nom fatidique. Negão a beau ne pas avoir de culture, il n'est pas inintelligent pour autant. Et en percevant l'hésitation du maître, il lâche lui-même le morceau :

— Peut-être Doralice ?

Ah ! la douleur dans la poitrine, la gorge aride, les yeux voulant nager… Depuis la veille, ce nom est la cause de tous ses soucis ; depuis le moment même où il l'a entendu prononcé par la bouche de Vigario. La simple proximité de deux êtres si différents, Doralice et Vigario, rien que cela fait naître en lui de l'angoisse. En effet, comment expliquer que Vigario connaissait si bien la petite, et qui lui avait parlé de leur escapade à Meriti ? C'était là le nœud gordien de l'affaire, tout au moins pour Sirigaito.

— Negão, mon ami… je te connais depuis ton adolescence, tu te souviens ? C'est moi qui t'ai tiré du port. Ce n'était pas une vie pour un homme… Alors je ne veux pas te voir souffrir. Mais puisque tu la mentionnes toi-même…

— Non, je ne crois pas. Doralice est sûre…

Un long silence, lourd. C'est encore une histoire de confiance… Et, la tête basse, il ajoute :

— C'est vrai qu'on ne peut jamais être sûr de rien…

— Non, malheureusement, confirme Sirigaito, même pas du jour de sa mort. Elle va venir, mais quand ? D'ici là, on l'attend, à chaque moment ; on la cherche, on se démène, on boit pour l'oublier, on fait de la musique…

— T'as raison, maître, comme toujours… Il y a là quelque chose qui cloche. Vigario en savait trop. Et puis Doralice ne m'en avait rien dit… Un homme et une femme qui ont des secrets, ça fait louche… D'accord. Ce n'est pas que je veuille discuter, au contraire. Cette idée ne me sort pas de la tête depuis hier…

— T'es amoureux, Zacarias, mon petit. T'es amoureux… Et pourquoi pas ? C'est bon, l'amour… c'est toujours bon. Même si ça blesse, c'est bon. Le reste, c'est du vide. Avec l'amour, on sent qu'il se passe quelque chose ; même si c'est amer, même s'il nous terrasse… Avec l'amour, on peut au moins faire de la poésie…

Negão garde la tête baissée, par pudeur devant ces sentiments nouveaux contre lesquels il ne peut rien. Mais c'est bon
d'entendre l'ami parler avec tant de franchise, tant de sagesse
sur ces choses d'allure si ridicule. Negão n'a jamais appris comment se défendre de la tendresse, de cette douceur triste, de
cette jalousie pénétrante.

— Ça ne change rien que tu sois amoureux, mon fils. Rien
ne prouve qu'elle t'a donné.

Negão lève la tête, l'air interrogateur.

— Non, rien ne le prouve… Tu vois, Zacarias, on se méfie
trop vite des créatures du sexe. Elles sont bavardes, certes, mais
rarement salopes. Comme les hommes. À peu près dans la
même proportion…

Aspirant profondément la fumée de son cigare pour le rallu-
mer convenablement, après avoir battu le long tuyau de cendre
dans la tasse vide, les yeux pensifs vers l'horizon, le maître reprend :

— Sinon moins que les hommes… sinon moins… Si elles
trahissent, c'est souvent par peur ou par jalousie, rarement par
méchanceté. Sont maternelles avec nous. Elles nous prennent
pour des petits garçons… Tandis que, chez les hommes, c'est
souvent par faiblesse de caractère, pour l'appât du gain, pour
chercher à se prouver qu'ils ne sont pas des minables… par
cruauté aussi ; et gratuitement dans beaucoup de cas…

Maître Sirigaito se laisse aller à ses réflexions, en suivant
les méandres du langage comme Negão suivait la foule dans les
rues ; en bon nageur, par plaisir, se laissant guider par la sagesse
des images et de la syntaxe. Mais sans perdre le but. Stratégie et
tactique.

— Rien ne prouve… non, rien. Tu vois, Negão, elle ne me
connaissait pas, elle ne savait rien sur moi…

Et avec une pointe infime d'interrogation, si discrète qu'elle
n'est point blessante :

— Tu n'es pas bavard… je le sais.

Le silence et l'immobilité de Negão rassurent l'ami.

— Or, c'est ici qu'ils sont venus en premier. Puis à la Joie de Vivre. Et il y a l'avocat. Tu m'assures que Vigario est mort. Il ne reste que ton compère. Ta petite Doralice est donc en dehors de l'affaire, tout au moins pour ce qui est de la rafle de ce matin.

En apprenant ainsi, par hasard, la descente de police à la Joie de Vivre, Negão ressent un serrement dans le ventre, amer, comme une envie de tousser.

— À la Joie de Vivre ?

— Oui, j'ai mes sources. Ils étaient là de bonne heure. Et ils t'attendaient. Le Galicien de la buvette a monté la garde pour te protéger. Et ils sont toujours là, forcément, puisqu'ils ne t'ont pas arrêté à l'embarcadère. Moi non plus, je ne fais pas confiance à cet avocat ; ni à aucun avocat. Pire que les flics. Un gars qui défend une cause à laquelle il ne croit pas, et pour le fric… comment protester s'il te vend, toi aussi ? C'est pourri en partant.

À cet instant, Maria de Lourdes arrive avec son chargement de café, de brioches, de petits roulés à la morue et d'olives. Au milieu du plateau, la bouteille de scotch. En bonne mère de famille, elle devine le sérieux de la conversation, et le besoin de combustible qu'a son homme après tant de perles philosophiques. Negão mange avec appétit, sans gêne, car il connaît la susceptibilité de son hôtesse. Sirigaito choisit quelques olives, un morceau de pain sec pour se préparer la langue, et il se verse délicatement un verre de son malt : bouteille importée, à l'étiquette insolite, de celles qu'on ne trouve jamais sur les étagères des magasins.

— *Single malt*, mon petit… Je supporte mal les *blends* à cette heure de la journée… Mais mange, Zacarias, mange ; tu feras plaisir à ma dulcinée…

Après une gorgée plusieurs fois roulée dans la bouche, en allumant un autre cigare, Sirigaito reprend son monologue :

— Encore là, il ne reste que Jacinto… Je connais Jacinto, et je ne crois pas qu'il t'ait donné. Le vieux t'aime comme un fils. Mais ce n'est pas seulement pour cela… On a déjà vu des parents donner leurs enfants et même des fils donner leur mère. Ça n'a rien d'exceptionnel. L'être humain a un fond pourri… Je ne crois pas que Jacinto t'ait trahi, mais pour d'autres motifs, beaucoup plus profonds… Entre nous, et ça restera ici, je te le dis seulement pour te rassurer : Jacinto n'a pas peur de mourir. Au contraire, il a une envie folle que ça s'achève… Non, pas malade. Écœuré. Il trouverait même du plaisir à ne rien dire, pour avoir un but, un truc à quoi s'accrocher. T'as déjà remarqué qu'il fait rouler son affaire par simple plaisir ? Maintenant qu'on lui a pris le job… Et un gars qui fait des affaires par simple plaisir, qui n'aime que son travail, c'est un suicidaire en puissance. Serre-lui les couilles, et voilà qu'il s'entête, se découvrant enfin un but dans la vie. Il choisira le martyre. Jacinto ne t'a pas donné. Un mystique, un désespéré.

Et en regardant Negão dans les yeux :

— Alors Vigario est vivant. Ou bien il a eu le temps de parler. Sinon, comment peuvent-ils savoir que c'était toi l'homme en question ?

Negão avait déjà pensé aussi à cette éventualité. Amèrement. Car il avait songé à revenir sur ses pas pour décharger l'arme sur Vigario. Une pensée comme une autre, par pure jalousie. Mais sa fuite par la fenêtre avait été si élégante qu'il avait abandonné l'idée, presque par souci de perfection, heureux de l'action telle qu'elle s'était déroulée. Comme dans un film américain.

— Je vais envoyer quelqu'un prendre des nouvelles de ta Doralice, la prévenir, la sortir de là pour un endroit discret. C'est elle qui peut nous aider à trouver la solution. Tu m'as dit que c'est chez Quinina ? D'accord. On va le faire vite, en espérant qu'elle… D'ailleurs, moi aussi, je dois me planquer. Il faut qu'on pousse l'investigation.

En dégustant lentement son scotch, Sirigaito ne perd pas de vue les aspects pratiques de la situation :

— Mais ce sont là des matières théoriques, pour le simple plaisir du cerveau. Ça ne change rien au fait que tu dois disparaître… Je vois que tu as des outils avec toi. Munition ?… calibre 38 ? Pourtant, t'as des menottes de 45… Laisse ici le 38 de Vigario. Il va te porter malchance. Je te prête un vrai colt. Et puis, c'est plus pratique d'avoir les deux armes du même calibre. Plus commode. Fais voir l'automatique… Hum, bien, deux chargeurs, 45. Il faut se méfier par les temps qui courent. Avec la concurrence internationale, tout tend à se mélanger ; même les vieux calibres, comme le 9 mm, redeviennent à la mode. Ou le 7.65, des Anglais. On dit même qu'on peut trouver certains pistolets russes… Mais on peut les chercher longtemps… Les communistes parlent sans cesse de révolution, mais je n'ai jamais vu un de ces fameux Nagan*. Ils ont trop la trouille et pas assez de couilles pour la faire, leur révolution. Ils ne font que nous emmerder car, pour l'action, c'est un vrai fiasco !

Ces détails techniques éloignent les pensées tristes et redonnent à Negão son sourire habituel. Ses muscles paraissent se réveiller. Et c'est un peu à la légère qu'il répond oui lorsque Sirigaito pose sa dernière question :

— T'as une planque ? Bien, ne m'en parle pas. Tu te serviras de Mozart comme messager. Je n'ai pas besoin de te rappeler que depuis hier t'es un homme marqué. Personne, mais personne au monde ne mérite ta confiance. La confiance, c'est

---

*   Pistolet automatique d'origine soviétique.

une affaire pour les riches. Mais ne me laisse pas sans nouvelles. Salut, Zacarias… salut, mon petit.

L'accolade du géant et du fragile Sirigaito est une chose que le langage ne peut pas décrire. Et puis les yeux sont trop brouillés pour capter une image précise.

11

Negão était né quelque part, mais on ignorait les détails. D'une femme enceinte, naturellement ; certains croient encore qu'il s'agissait d'une baleine fécondée par un joueur de basket-ball américain. Des racontars. Les gens trouvent toujours plus beau un truc qui vient des États-Unis, même si le produit national est d'égale qualité. C'est pourquoi nos politiciens, dans leur sagesse, importent de plus en plus de choses de l'étranger, dans l'espoir d'arriver un jour à ce que l'envie se dissipe enfin dans les cœurs brésiliens.

Alors né, mais sans connaître ses parents. À coup sûr, ils étaient beaux, sains et sans tare, car Negão poussa droit malgré la misère. Ils l'avaient abandonné ou donné à quelqu'un qui avait par la suite changé d'idée ; ou encore ils l'avaient malencontreusement égaré dans un autobus ou au cours d'une partie de football. C'est ainsi qu'il s'était retrouvé avec les autres enfants oubliés. En ce temps-là, on les recueillait encore dans les crèches surpeuplées, pour voir ceux qui allaient survivre. Plus maintenant, car on n'arrête pas le progrès. Actuellement, ils sont dans la rue dès les premiers jours de vie, et deviennent autonomes de bonne heure, au grand plaisir des pervers avides de chair tendre. Dans le temps de Negão, il y avait encore des crèches. Les enfants passaient de la crèche à l'orphelinat aussitôt qu'ils savaient marcher.

L'orphelinat était pire que la crèche, mais le taux de mortalité était moindre. Sélection naturelle. Les sources concernant cette époque révolue sont vagues, et seul son nom est resté dans le registre civil : Zacarias da Costa. On était sûrement en décembre, car les prénoms étaient distribués par ordre alphabétique depuis le début de chaque année. Il avait déjà de la veine, Negão, puisqu'il aurait pu traîner toute sa vie un Zoroastro, Zeus, Zenobio, Zepelin, Zurique ou une autre bizarrerie de la sorte. Zacarias, au moins, est un nom biblique, qui forme le caractère. D'ailleurs, Zoroastro avait la lèpre et il avait été renvoyé. Le petit Zeus avait été broyé par un tramway. Zurbarao da Costa, un mulâtre, vendu à un couple étranger dont le fils avait besoin de transfusions de sang. Zebedeu, depuis toujours un peu simple d'esprit, était maintenant interné à l'asile avec les fous dangereux, car il ne pouvait pas s'empêcher de boire de la gazoline. Les autres compagnons de Negão qui survécurent à l'orphelinat sont inconnus.

Les enfants passaient toute la journée à attendre l'heure des repas, ou bien à se battre entre eux. Parfois, ils jouaient au foot dans la cour intérieure, mais le directeur n'aimait pas trop cette activité à cause des émeutes ; les deux équipes s'affrontaient dès que le ballon tombait au delà du mur. Le soir, il y avait des grands qui voulaient enculer les petits ou se faire sucer. Mais aucun de ses amis ne s'était fait enculer, car Negão avait imposé le respect dès le début et son petit groupe pratiquait une sorte d'autodéfense assez efficace. Cette façon de se faire respecter lui valut de bonne heure la méfiance des supérieurs et des curés. Ils disaient qu'il finirait mal, en prison ou pire encore, à cause de sa manie de vouloir se battre chaque fois que quelqu'un essayait de lui en imposer. Surtout après le départ de Joaquim, Negão était révolté, insoumis, et il lui arrivait même de provoquer les adultes.

Sa nature revêche le mena tôt à la maison de correction, le S.A.M.*. En fait, dès l'âge de onze ans car il était déjà costaud et une histoire de couteau lui avait valu son transfert. Le document rédigé à cette occasion par le juge de mineurs se lisait ainsi :

Délinquant, meurtrier en puissance, sans aucun sens des valeurs ni sentiment moral, individualiste, solitaire, vraisemblablement porteur des tares typiques de sa race malgré l'absence de stigmates autres que les traits négroïdes. Réfractaire aux techniques de persuasion en groupe, il s'avère être un agitateur doué et pervers lorsqu'il s'agit de s'opposer à l'autorité établie. Assez intelligent pour un mulâtre, mais ne montrant aucun intérêt pour les études, il est analphabète, bien qu'il le nie opiniâtrement. Masturbateur impénitent et porté au vol à la moindre occasion, le mineur en question, Zacarias da Costa, d'une taille plus proche de celle d'un enfant de quatorze ans, mais qu'on nous assure n'en avoir que onze, serait pupille de la nation depuis sa naissance. Parents inconnus, vraisemblablement dégénérés ou criminels. Il a été porté à notre auguste attention à cause de son état de constante rébellion à l'orphelinat public Jésus-de-Nazareth (district de Rio de Janeiro, centre-ville), et plus précisément après sa vicieuse agression à l'arme blanche dirigée contre l'aumônier en chef de cet établissement charitable. À la suite de ce geste odieux et gratuit, le religieux a été conduit à l'hôpital, souffrant de blessures multiples dans la région fessière. Après avoir questionné l'accusé, étudié

---

* Service d'assistance aux mineurs. Division judiciaire de la police s'occupant des mineurs, plus connue pour sa sinistre prison dans une banlieue du nord de Rio.

les faits, et m'être assuré de leur véracité, j'ordonne le trans-
fert immédiat du mineur Zacarias da Costa à la maison de
correction Princeza-Isabel, du S.A.M., où il séjournera jus-
qu'à sa majorité. Rio de Janeiro, le 22 avril, 1954. Signé :
Docteur Carmelindo Cruz, Juge de mineurs.

Comme certificat de naissance, cela lui assurait des débuts pénibles. Ce document contient toutefois quelques exagérations. Par exemple, Negão n'était pas analphabète. Il avait appris à lire tout seul, même s'il n'était pas capable de déchiffrer toutes les sortes de caractères d'imprimerie. Il volait, certes, mais suivant en cela l'exemple du personnel : tout le monde volait à l'orphelinat. Enfin, le juge n'avait jamais rencontré personnellement le petit Zacarias. C'était un fonctionnaire de la cour, un sergent de police à la retraite, qui avait transmis au juge les doléances des curés. Le magistrat n'avait fait que dicter le document à sa secrétaire, comme il en avait l'habitude.

À la prison du S.A.M., enfin, commença la véritable vie publique de Negão. On y mangeait mieux, car les enfants étaient plus costauds ; et sans nourriture, ils auraient tout cassé et tué les gardiens. Et puis les copains étaient plus solidaires ; les homosexuels étaient si nombreux que les plus jeunes ne couraient pas le risque de se faire enculer. Deux infirmières et les femmes de la cuisine se prêtaient d'ailleurs volontiers aux initiations sexuelles, et chacun pouvait en profiter tous les deux ou trois mois. Ils étaient au moins deux cents enfants dans son aile. Il y avait aussi une bibliothèque, avec des livres imprimés de diverses façons, ce qui permit à Negão de ne plus jamais hésiter devant un texte. Le terrain de football, les deux vrais ballons et les poids et haltères contribuaient à la forme physique et servaient d'exutoire pour détourner de la masturbation. On pouvait y apprendre un métier, si l'on n'était pas fainéant. Et si on rendait service aux membres du personnel (commandes d'outils, de couteaux ou de potiches, réparation de meubles ou de jouets, voire rédaction de lettres d'amour adressées à leurs fiancées), on ne manquait pas de cigarettes ni de marijuana.

Ce n'était certes pas le paradis, mais c'était vivable. Negão n'avait jamais été exigeant. Il y en avait qui s'adaptaient mal, naturellement, qui se coupaient exprès pour aller à l'infirmerie, qui devenaient fous ou se suicidaient. Mais d'autres enfants arrivaient sans cesse pour combler les places vacantes. Certains étaient malades : tuberculose, infection parasitaire, épilepsie, fièvre intestinale, bec-de-lièvre, pied-bot ou paralysie. D'autres étaient muets, idiots, enfermés en eux-mêmes, se cachant dans les coins pour manger les blattes, lorsque ce n'étaient pas leurs propres excréments. Un gars sain et costaud vivait alors relativement bien, discrètement, sans être dérangé par les surveillants.

Negão apprit beaucoup avec les plus grands, en particulier avec ceux qui n'avaient pas toujours vécu dans ce genre d'institutions. Ceux-ci lui racontaient des choses sur la ville, sur les familles, sur tout ce qu'on pouvait y faire, et même sur la mer. Il se tenait ainsi au courant de tout, même si ce n'était qu'en imagination. Il lisait assez bien, et son écriture devint à peu près passable, même s'il n'arrivait pas à rédiger des phrases correctes. Juste le minimum pour se débrouiller une fois dehors. Mais il apprit la mécanique avec enthousiasme ; il était si doué pour les choses qui s'emboîtent et se déboîtent que, à l'âge de quinze ans, il pouvait déjà démonter et remonter un colt 45 les yeux fermés. Bon tourneur, il lui arrivait de recevoir des commandes spéciales, de celles que le surveillant laisse pour les fins de semaine, lorsque l'atelier de mécanique est fermé : refaire le canon d'une arme cassée ou trop connue, ajuster le calibre des mitraillettes allemandes pour qu'elles acceptent les douilles nationales, sculpter des crosses neuves pour les pistolets qui envahissaient le marché d'après-guerre, et d'autres bricoles du genre. Il avait cependant une préférence pour les moteurs à combustion, ce qui lui permit d'ailleurs de vivre de façon confortable et autonome, une fois libéré. L'endroit regorgeait de spécialistes en mécanique automobile, à la fois parmi les détenus et les surveillants, et sans jamais avoir vu une véritable bagnole, devant faire son apprentissage avec les ferrailles, Negão pouvait ouvrir une serrure importée sans la casser dès ses premiers essais. Un vrai talent dans les doigts.

Les années passèrent ainsi, riches d'apprentissages, mais un peu éloignées de la vie réelle. Vers l'âge de dix-sept ans, comme il n'avait pas de problèmes graves et qu'il avait déjà un corps d'homme, on le laissa partir. Un compère de Jacinto, instructeur en mécanique automobile l'avait à la bonne, et il le plaça comme débardeur. Des sacs de café, des charges de toutes sortes, qu'il devait transporter des entrepôts aux bateaux et vice versa, à longueur de journée. Des sacs pesant souvent plus de cinquante kilos. Très vite, Negão se demanda s'il ne valait pas mieux tuer quelqu'un pour retourner en prison. Il ne connaissait personne qui puisse l'aider, et sa paye maigre fondait sans qu'il sache comment. Mais surtout, il était timide, incapable d'approcher les filles; gêné dans le Mangue, il cherchait l'amour sur toutes les bouilles sans jamais trouver rien qui vaille. Mal à l'aise dans la ville, silencieux lorsque les autres racontaient leurs mensonges, ne sachant pas quoi faire de sa vie, et de plus en plus rêveur.

Jacinto vint à sa rescousse peu après, en l'invitant à être le parrain d'une de ses filles. Comme ça, pour donner une espèce de famille à Negão, de façon presque désintéressée. Il est vrai que le physique et la bonhomie de Negão étaient des atouts de taille pour un homme d'affaires. Mais il y avait aussi les talents du jeune mulâtre. Jacinto s'intéressait aux autos importées, de celles qui étaient encore dans les cales des navires, et qui y restaient des semaines entières à cause de la bureaucratie. Avec l'aide de Negão, il était certain d'obtenir des pièces originales toutes neuves, de n'importe quel modèle étranger. Même un moteur entier, un V-8 s'il le fallait, car le garçon était passionné par son art, et ne se dérobait pas devant les besognes lourdes. Et sans rien demander en retour, presque pour faire plaisir, histoire simplement de s'amuser avec la mécanique et de rendre service. Un peu d'argent de poche, de la camaraderie, mais surtout les repas du dimanche à Belford Roxo. Jacinto avait une famille si nombreuse, si colorée que Negão passait facilement pour un cousin ou un jeune oncle. Il adorait cette ambiance de fête, même s'il ne le faisait savoir que par un grand sourire. Les jeunes filles en particulier ne manquaient pas de lui montrer à tout instant qu'il était le bienvenu, en se frottant contre son corps, soupirantes. Ce fut alors qu'il commença à se rendre compte de son pouvoir d'attraction sur les femmes. Et, plus étonnant encore, il savait danser. Sans l'avoir appris, naturellement, de la même façon qu'il s'était aperçu qu'il savait nager, rien qu'en laissant son corps bouger dans l'eau. Son corps, pourtant grand, s'animait d'un mouvement ancestral, qu'il découvrait alors sans étonnement, s'excusant avec un sourire gêné, de peur d'avoir l'air de se vanter. Cela ne faisait qu'augmenter son charme. Dès lors, les compagnes se succédèrent, tant qu'il en voulut. Les filles de la Joie de Vivre, les femmes mûres, des Portugaises très sévères, des dames riches et des ouvrières, de toutes les sortes, enfin. Avec le temps, il devint aussi compétent en mécanique féminine, aussi habile et tendre qu'avec les moteurs à combustion. Et presque aussi passionné. Toujours patient et compréhensif, Negão savait qu'on ne brusque pas les choses délicates, qu'un cœur ou un rêve ont des engrenages plus fragiles qu'une transmission ou un différentiel anglais. Parce que, selon les sages paroles de Pindoca, « on a beau avoir des bielles rigides, sans l'huile de la passion, l'échappement d'une femelle ne pète pas de plaisir ».

Negão s'intégra naturellement aux battements de la ville, rattrapant bien vite les années perdues en réclusion. La culpabilité était cependant là, comme une carence, une gêne, une continuelle impression de ne pas être à sa place ou de déranger les autres. L'explication du sens des choses et la vision d'ensemble faisaient défaut dans son existence. Tout lui paraissait trop beau. Rien ne cadrait avec ses souvenirs des dortoirs infects, des pustules, des murs suintant le désespoir autour de bébés aux fesses couvertes de merde. Il voulait aller de l'avant, et voilà que les souvenirs tristes, précis, le ramenaient en arrière. Des horreurs, des cauchemars, la honte d'être sorti de là vivant et même en bonne santé pendant que d'autres y avaient perdu la raison. Et toutes ces choses se mélangeaient encore à des nostalgies étranges, à une vague envie de tuer, à des larmes inopinées ou à la fantaisie de faire lever des cerfs-volants. Un bébé qui pleurait le laissait tout ému ; et il détournait le regard, de peur de le serrer contre sa poitrine pour pleurer à son tour.

Lorsque ces choses sont gardées enfermées trop longtemps, l'élan de vivre s'étiole, et un jeune homme peut essayer n'importe quoi pour qu'elles cessent de le tourmenter : le mariage, la religion ou d'autres gaffes du même acabit, ouvertement suicidaires. Le meilleur des types devient dangereux, il cherche à fuir, et finit par gâcher sa vie. Là encore, Negão eut de la chance. Au lieu de la religion, le vieux Mindras lui enseigna l'esprit de la matière, les intestins de la ville. Et la merde prit un sens.

12

Mindras était un vieux sage ; un peu fou aussi, il est vrai. Ivre tous les soirs ; et très alerte dès le matin, aux commandes de la drague qui sillonnait continuellement le port. C'était un homme silencieux, bourru et solitaire. On ne savait pas comment il avait pu garder si longtemps son poste. Il conduisait la drague depuis des siècles ; la même drague, d'ailleurs, comme si lui-même était une pièce de cette mécanique, importé en même temps que la machine. Un jour, ravagée par la rouille, elle coulerait. Ou encore ses diesels trop fatigués finiraient par s'arrêter définitivement, encrassés par les algues, les champignons et la merde. À ce moment alors, Mindras disparaîtrait lui aussi, vraisemblablement incrusté dans la cabine de commande comme un bout de corail dans une coquille de moule vide. Pour l'instant, il était toujours actif et la drague se reconnaissait au loin par l'épais nuage de fumée et de suie exhalant l'odeur de pourriture iodée qui s'accumulait dans son ventre. Méthodiquement, selon un plan immémorial, elle quadrillait le port, libérant le fond boueux pour les long-courriers. Elle n'allait plus que jusqu'à l'entrée du port, laissant à une machine plus moderne et plus puissante le soin d'ouvrir le passage jusqu'au large. C'est pour ça que les gens appelaient la drague de Mindras « le merdier ». En effet, elle ne charriait que des excréments, les déchets, les immondices de la ville tout entière, qui, s'écoulant par le canal

Mangue et par d'autres voies souterraines, vont se déposer au fond du port. Une vase noire et verdâtre à la fois, aux irisations bitumineuses, aux proliférations grouillantes et tropicales, visqueuse et épaisse qui s'amalgame au limon et aux algues, paralysant en peu de temps le plus redoutable des transatlantiques. C'est la lave d'un volcan intérieur; celui qui digère tout ce qui ne sert plus, patient et régulier dans sa tâche de permettre à la ville de ne pas étouffer dans sa pourriture.

Mindras était un homme de grande taille, très fort, barbu, aux sourcils épais contrastant avec le crâne presque rasé. Étranger, mais on ne savait pas d'où. Il habitait une mansarde de la rue Acre, et l'on ne lui connaissait pas de famille. Malgré son poste de fonctionnaire technique et de capitaine au cabotage, il était peu soigné de sa personne. Son argent, il le buvait; ou alors on n'avait aucune idée de ce qu'il pouvait en faire. Sa logeuse confirmait qu'il ne recevait pas de lettres de l'étranger et qu'il n'y avait pas de richesse dans le logis. À peine quelques livres, de vieux journaux dans une langue barbare et une énorme collection de boîtes de tabac vides. Un mystère depuis toujours. Échoué là, sans passé; sans d'autre ambition que celle de se lever chaque matin pour poursuivre la besogne éternelle et malodorante.

Le soir, après avoir pris un succulent repas en dépit des odeurs nauséabondes respirées toute la journée, il fréquentait assidûment plusieurs bars proches du port. Souvent aussi, dans les alentours de la Joie de Vivre; comme ça, sans motif, seulement pour varier les comptoirs de cachaça en observant de ses yeux perçants les habitants des environs. Sans méchanceté cependant, sans amertume; parfois même avec un léger sourire condescendant dégageant les dents jaunies sous l'épaisse moustache. Un personnage familier des quartiers du port, respecté parce qu'il avait un physique imposant et qu'on avait peur de sa folie. En effet, on le croyait complètement fou. On était certain qu'un jour il allait se manifester, s'enrager, se mettre à tout détruire pour se venger de cette ville qui n'était pas la sienne. Il n'avait jamais rien fait pour justifier cette rumeur, bien au contraire. C'était le type le plus pacifique du monde. Mais cette retenue même, ce silence et le respect qu'il imposait alimentaient sa réputation. Un jour, il allait se venger. Un jour, il allait exploser. Les gens disaient parfois, pour illustrer une chose colossale, indescriptible, comme la fin du monde : « Ce sera pire que l'explosion du vieux Mindras. »

Or, ce vieux s'était intéressé à Zacarias. Peut-être parce qu'ils étaient de la même taille, ou que le jeune Noir n'avait pas peur de lui. Ou encore tout simplement parce que Negão aimait écouter. Le rapport entre celui qui a des choses à dire et celui qui veut apprendre est plus profond que la relation des amoureux, plus intime et plus distant à la fois, sans d'autre lien que l'attrait des objets symboliques. Le vieux avait des choses à raconter ; il débordait d'une forme de sagesse que toutes les oreilles ne peuvent entendre. Il était gros de cette réflexion, comme une vache aux mamelles gonflées qui se fissurent, désirant se soulager de son trop-plein, moins pour le veau que pour elle-même, pour ne pas crever de douleur et de folie. Negão était le seul veau de passage qui savait écouter, le seul qui s'était approché sans crainte. Et Mindras se mit alors à parler.

Parler, c'est comme un torrent : on peut le retenir longtemps mais, une fois qu'on le lâche, rien ne peut plus l'arrêter. Ça parle malgré nous, ça parle tout seul, ça sort par les oreilles et ça envahit le sommeil ; ça trompe les sens et l'esprit. Tout effort pour bloquer la bourrasque détruit l'individu ; soit qu'il se dessèche, soit qu'il explose. Mindras et Negão devinrent ainsi des copains. Dans les bars, le professeur et l'élève faisaient le vide autour d'eux. On craignait les deux géants mais, surtout, on avait peur que ce ne soit le début de l'explosion tant attendue. C'était de l'ignorance, naturellement, car la parole soulage ; elle oriente, elle met de l'ordre. Pourtant, le peuple est si éloigné des choses de l'esprit qu'il n'y voit que du mal. Tout comme les mères qui fustigent leurs enfants quand ils lisent, convaincues que les livres abîment les yeux et la tête. Curieusement, les militaires et les policiers sont du même avis, et l'on pourrait penser que leur souci est de nature maternelle. Il y a là de quoi réfléchir non seulement pour les flics, mais aussi pour les mères.

À cette époque, Negão était déjà mûr pour abandonner l'esclavage du port. Écœuré de tout, sans but, se laissant aller parfois à la nostalgie de la vie carcérale, c'était son fond mélancolique, sa tristesse d'orphelin ballotté qui se cherchait une identité. Le vieux Mindras avait sûrement perçu cette faille chez le jeune homme, et il voulait lui transmettre le fruit de ses propres recherches dans ce domaine. Peut-être le vieux était-il venu de loin justement pour fuir, comme on va en prison par peur de la liberté. Et son expérience de la drague devenait alors sagesse sur le monde :

— Tu es jeune et tu sembles porter le poids du monde entier sur tes épaules. Tu souffres et tu peines comme tu le fais sous les sacs de café, jour et nuit. Particulièrement la nuit, n'est-ce pas ?

Mindras entamait son discours de façon impromptue, sans motif apparent, parfois au début de la soirée, parfois après plusieurs verres. Que Negão fût attentif ou endormi, de bonne ou de mauvaise humeur, il était impossible de prévoir le moment où le flot allait commencer à se déverser. De sa voix rauque à l'accent épais, le vieux parlait lentement, lourdement, en regardant le vide, mais sans jamais hésiter. On aurait dit une parole en syntonie avec la lave du Mangue, puissante et inexorable dès que les digues se décidaient à s'ouvrir. Negão ne pouvait pas se dérober ; le vieux paraissait le connaître personnellement, intimement, depuis qu'il était petit.

— Tu te soucies de ta personne, et nulle part tu n'es à l'aise. Jour et nuit avec ta charge. Tes seuls moments de tranquillité, c'est quand tu te perds, sous les vrais sacs. Comme un animal. Dès que tu sens le fouet, tu t'oublies. Là seulement, tu ne sens plus le poids de la charge. Il te faut les cinquante kilos sur les épaules, sinon la vie t'écrase... T'es une bête, Zacarias ; pire qu'une bête. Une bête aime le repos. Pas toi. Tu souffres si on te laisse en paix.

De drôles de propos, qui peuvent paraître offensants. Mais, dans la bouche du vieux, ils exhalaient une sorte de tendresse. Comme s'il voulait aider, sans malice. Surtout qu'il n'en tirait aucun profit personnel. Il donnait ces paroles pour que ça ne se perde pas. Comme on passe ses outils les plus lourds à un jeune apprenti dont les muscles sont plus aptes à les mettre en valeur. Sans rancune.

— Tu t'es rendu compte de ça, que tu ressembles à une bête de somme ? Et pourtant, personne ne t'oblige à souffrir. Tu souffres spontanément... D'accord, il faut vivre ; il faut travailler pour manger, se faire une situation. C'est ce qu'on dit, pour éviter de penser plus à fond. Pour dire comme tout le monde, pour être accepté dans le troupeau. Au cheval aussi, on lui donne de petites tapes, on lui dit des mots tendres. À cause de ça, il travaille comme un cheval, rien que pour être caressé. Il pourrait fuir, aller manger n'importe où... Mais non, il préfère manger après avoir trimé. Il se sent alors important, car c'est pour son bien, pour qu'il soit plus en forme le lendemain. Comme toi. Lorsqu'il broute trop longtemps, il s'énerve et se met à sautiller. D'angoisse, de honte. Puis il accourt, baissant la tête à la recherche du harnais. Si le maître l'ignore, il croit qu'on ne l'aime plus. Sa vie de cheval n'a plus de sens. Il est même capable de partir à la recherche d'un autre maître, à la recherche du fouet. N'importe quoi pour se sentir aimé.

Des histoires corrosives, propres à enrager les petites natures. Negão écoutait, généralement en silence, en posant des questions à l'occasion pour mieux comprendre. Le vieux précisait alors sa pensée.

— Apparemment. Mais dans le fond je ne suis pas un cheval. Je ne suis pas comme toi. Je travaille sur la drague seulement aux yeux des autres. Que m'importe les autres ? En fait, ce n'est pas un travail. Je cherche ; je crée des pensées, des significations apparaissent dans mes fantaisies, et je prends possession du monde. Du monde et de ma vie. La drague, c'est mon rythme.

— ?…

— Non, tout n'est qu'illusion. Hormis le sens des choses, il n'y a pas de plaisir. Tu peux penser le contraire, à cause de ta jeunesse, car tu crois qu'un tas de bonnes choses te sont encore étrangères. Qu'elles vont venir un jour si tu continues à travailler… C'est ce préjugé qui fait tourner le monde, tout le manège. Chacun attend le père Noël en se disant qu'il a été un bon garçon. De toute façon, tu vas goûter aux choses qui sont à ta portée, tu verras bien. C'est comme l'amour. On croit toujours qu'une femme idéale — jamais celle qui est présente —, qu'une déesse va enfin nous apporter l'orgasme, le bonheur. Et il y en a constamment une plus belle, inaccessible quelque part, qui nous permet de continuer à rêver. Mais à force de baiser et de baiser, on finit par comprendre que, l'important, ce n'est pas l'orgasme. C'est le rêve qui compte. L'envie de ce qui manque. Un homme comblé, ce n'est qu'un mammifère. Le rêve, Zacarias, est notre seule liberté. Je ne dis pas de fuir, non. La vie est bonne ; baiser mille femmes, c'est très bien. Mais pour la recherche, pour l'au delà du présent… Pour ne pas rester un simple mammifère !

Il lui arrivait de ponctuer ses exclamations de coups de poing sur ses genoux. Les gens alentour baissaient la voix, ils se regardaient, craintifs, pendant que les serveurs se réjouissaient que le coup ne fût jamais dirigé vers la table. Puis il reprenait, tâchant de répondre aux questions du jeune homme.

— Non, tu ne recherches pas comme moi. Pas toi. Tu trimes comme un nègre, comme une mule, pour te sentir bien dans ta peau. Tu ne penses à rien, tu ne vis pas, tu ne te révoltes pas, tu ne rêves pas, mon petit. Tu n'as jamais vécu. On t'a enfermé depuis ta naissance. Et si t'as encore un peu de respect pour toi-même, c'est grâce à ta charpente. Sinon tu serais un minable. Pourquoi ? Tu n'as pas demandé à naître ! Et malgré ça, foutu et mal baisé, tu veux encore te faire aimable ? C'est les autres qui devraient s'efforcer de t'aimer, pour tout ce que tu as vécu sans perdre ce sourire, cette bonne humeur…

Ils vidaient quelques verres, accompagnés de temps à autre de limes saupoudrées de sel ou de bouts de sardines grillées. Le vieux bourrait de nouveau sa pipe, ou alors il allumait un gros cigare pour éloigner la senteur de pisse et de marais iodé.

— Le mal est en toi, Zacarias… Tu te crois endetté envers le monde parce qu'on ne t'a pas noyé comme un chaton. On t'a enfoncé ce mensonge dans le crâne depuis ton berceau plein de merde. C'est leur fabrique à mammifères. Et tu marches dans leur combine, soulagé de ne pas avoir été noyé. Mais, pauvre Zacarias, tu ne vois pas qu'ils n'ont même pas le courage de noyer les bébés ?

Mindras donnait à Negão le temps de se ressaisir, d'écarter les souvenirs pénibles. Son propre regard avait besoin de ces pauses, car lui aussi paraissait alors avoir été un chaton, quelque part. Mais la rage dans sa gorge de vieux pouvait tout autant suggérer qu'il s'était échappé de justesse d'un sac quelconque, de ses propres griffes.

— Tu portes la charge sur tes épaules comme si elle était tes parents malades… Pourtant, ils t'ont laissé là, tout bébé, et ça ne sert à rien de te raconter des histoires… Il n'y a pas d'héroïsme dans ton passé ; non, rien que des faits divers. Et ta vie ? À quoi ça sert au chaton de ne pas être noyé ? À ronronner en demandant sa bouillie ?

Ces propos décousus recommençaient le lendemain, mais vers d'autres buts, sans se suivre, selon l'humeur du vieux. Mais ils avaient un drôle d'effet sur Negão ; un effet décapant. Il ne comprenait pas le processus. Il n'arrivait pas à réfléchir comme Mindras. Il ressentait seulement une sorte de bien-être qui le faisait mûrir... Son sourire devenait plus profond, sa gentillesse habituelle imposait un respect jusqu'alors absent.

Mindras parlait de la vie en termes trop abstraits ; il allait et venait comme s'il poursuivait une recherche. Mais il ne parlait jamais de lui-même. Il paraissait tout à fait heureux de son sort. Negão avait à quelques reprises fait le tour de drague avec le vieux, pour comprendre d'où venait le bonheur. Mais rien. C'était une besogne affreuse, sans but, toujours à recommencer, malodorante et mal payée. Pourtant Mindras souriait aux commandes, l'alcool dans son corps se dissipait, et il exécutait avec soin la tâche monotone.

— Vivre est une singulière corvée, Zacarias. Tu ne sais pas encore chercher. Il faut qu'ils te fouettent beaucoup, avant que tu ne sois libre...

Très énigmatique. D'autant plus qu'il ne paraissait pas aimer sa drague. Il ne la soignait pas comme un mécanicien et il se fichait de la rouille. Les machines inondées d'eau ou le toussotement enfumé des cheminées, cela ne concernait pas le vieux. Negão en concluait que Mindras se divertissait du simple fait de bouger, de voir le jour se lever, pour faire n'importe quoi, pour se sentir vivant et continuer à rêver.

Parfois, le vieil homme ajoutait en murmurant :

— Il faut vivre, Zacarias... Il faut vivre. On ne vit qu'une seule fois... Après, tu deviens de la merde.

Negão ne comprenait pas ce que le vieux aimait dans la vie, mais le message passait quand même, comme un rayon de soleil illuminant la boue. En effet, le vieux parlait souvent en rêveries, les yeux statiques, presque halluciné, particulièrement après quelques verres. Et ce qu'il disait alors fascinait davantage le jeune homme, en lui dévoilant un monde où les frontières du langage et de la matière s'estompaient mystérieusement.

— Tu sais, mon petit, cette belle vie, ces belles choses que tu ne peux pas avoir, tout cela est illusoire. Seule la crasse supporte le tout. Va dans leurs maisons, regarde le linge sale, les sous-vêtements, la tuyauterie de tous les gens que tu respectes. Difficile d'imaginer, hein ? C'est le Mangue qui les écoule ; c'est la vase qui les purge. La ville est une latrine gigantesque et béante ! Les fœtus et les chatons noyés, les déchets des grandes amours, toutes les sortes de liquides sortis des muqueuses se mélangent, dans un festival de microbes, de crachats et de suintements ; chiens crevés, bébés-syphilis, pigeons séchés et verminoses... Ça coule... Et les tuyaux sont l'œsophage de la ville, du grand organisme qui prolifère sous nos pieds. Nous sommes les poux sur sa surface. Ce qui compte, c'est le dedans : le sens profond, l'exubérance bactérienne des métamorphoses colorées. Les exhalations ne sont que la surface. Il faut descendre plus bas, ne pas craindre ce qu'il y a là ; ne pas se contenter de ce qu'on peut supporter. Il faut s'améliorer sans cesse, s'endurcir, pour mieux comprendre... pour profiter de ces viscosités, de ces visions abyssales mouvantes de vitalité minérale. La rouille des tuyaux, les borborygmes des écoulements, il faut s'y plonger en imagination... Je les vois descendre le Mangue, tous ces rêves mesquins, tous ces désirs immédiats, tous ces banquets tant attendus. C'est le mouvement du monde, la mouvance des êtres. Et puis, les beaux bateaux que tu aimes tant... Tu rêves d'être comme eux... C'est pour eux que tu trimes comme un nègre,

Zacarias. Mais ma drague en sait plus sur leur essence. Tout ce beau monde, mon petit, tout ça repose sur les dortoirs des orphelinats, sur des culottes sales, sur des mammifères qui n'ont pas le désir de grandir. Sans la drague, pas de port ; pas de bateaux, ni de ville ni de rêve. La minéralité bactérienne envahirait tout, prenant possession des choses comme une populace avide et malfaisante. La luxuriance de la pourriture, il faut la fréquenter ; bien la connaître, ne pas la craindre… Seulement alors on peut nager. Nager et rêver. Le fond gluant que la drague laboure, c'est bien l'essentiel. Je ne vois donc pas pourquoi tant de respect ; pourquoi trimer, pourquoi les cinquante kilos qui t'apaisent tant, mon petit !

Lorsqu'il partait dans ces envolées, même l'enchaînement des mots devenait difficile à saisir. Ça paraissait décousu, sans syntaxe, trop savant et imagé à la fois, complètement fou. Pourtant, c'étaient les moments que Negão appréciait le plus. Le soliloque grandiose du vieux faisait apparaître une féerie d'images dans la tête du jeune homme. Et sans se rendre compte, il voyageait dans les tuyaux, dans les culottes, dans l'intimité de tous les habitants de la ville, dans leurs drames, comme dans un gigantesque cinéma. Il était à la fois dans les chambres où l'on s'aimait, dans les hôpitaux parmi les pustules, dans les couvents, entre les jambes des bonnes sœurs, nageant dans les veines des malades ou derrière les yeux des riches qui dégustent un repas trop cher. Partout, dans les forêts, parmi les étoiles, flottant dans les bouteilles de bière ou naviguant vers des villes inconnues. Le vieux était capable de ces choses par le seul don de la parole ; sans rien montrer, il pouvait mettre en marche le cerveau de son interlocuteur, y semer de nouvelles pensées, créer et détruire des mondes…

Plus que leur contenu, ce furent les effets affectifs de ces paroles qui bouleversèrent Negão. Son imagination déjà fertile s'élargissait, ses limites et ses craintes disparaissaient pour faire place à un émerveillement nouveau. Celui de vivre. Rien que pour voir les choses ; sans respect, sans demander de permission, tout frais et sûr d'être là où il fallait. Sans rien devoir à personne. Il lui arrivait même d'éclater d'un rire joyeux, en plein milieu d'une de ces longues tirades eschatologiques. Et le vieux ne se fâchait pas, au contraire ; il ouvrait grands ses yeux bleus et il riait aussi, de bon cœur, en commandant encore à boire comme seul un capitaine sait le faire.

On ne sait pas ce qu'est devenu le vieux Mindras. Sa drague pourrit dans la ferraille, de l'autre côté de la baie, et l'on ne l'a plus revu depuis belle lurette rue Acre. Negão, lui aussi, avait perdu sa trace. Mais lorsqu'il se souvenait du vieux, ses yeux noirs prenaient un éclat métallique, bleuâtre, et dans ses paroles les choses simples devenaient en quelque sorte grandioses.

Sirigaito gardait le respect devant ces souvenirs de l'ami. Il avait sa théorie là-dessus : Mindras était le démon en personne, un esprit des profondeurs venu au port pour libérer Negão des chaînes de la médiocrité. La vieille Ofelia, elle, n'était pas si sûre que Mindras fût redescendu dans ses abîmes. C'était un bon esprit, certes, mais, d'après elle, il s'était réincarné dans le jeune orphelin, transformant Zacarias en Negão pour donner un exemple aux mortels. Dans ses transes de macumba, Ofelia prédisait d'ailleurs de grandes choses à Negão. Mais avec beaucoup de peines d'amour et de tristesse, puisque les esprits des noirceurs sont en général trop sensibles à la tendresse des femmes. Les plus fantaisistes avançaient pour leur part que Mindras était le capitaine d'un sous-marin allemand, déguisé en dragueur à cause du procès de Nuremberg. La plupart cependant pensaient que le vieux était tout bonnement sénile.

13

Negão travaillait toujours seul. Pourquoi aurait-il partagé le plaisir de la découverte, de la séduction quand il fouillait l'intimité de la mécanique à la recherche du déclic magique qui ferait ronronner sa proie ? Et puis il n'aimait pas les gens pressés ni les natures nerveuses, toujours incapables d'attendre. Les rares fois qu'il avait travaillé en groupe, il lui avait fallu se battre, se défendre contre d'autres gangs, parfois même utiliser son arme.

On lui réservait les commandes nobles, celles où l'homme de métier doit se doubler de l'artiste et du confident. Lorsque l'entreprise avait besoin de son expertise, Jacinto envoyait un messager à la Joie de Vivre pour solliciter Negão. Ensuite, il attendait, le temps qu'il fallait, sans harceler le mulâtre.

Ç'avait été le cas, par exemple, pour cette Jaguar argentée, aussi aristocratique qu'une Rolls, mais plus élancée, femelle et féline, propriété du consul argentin. Le diplomate était un amateur de boîtes de nuit, mais, hélas, il était toujours accompagné d'une brute, à la fois chauffeur et garde du corps, qui paraissait plus amoureux de la voiture que le patron lui-même. La belle était gardée la nuit dans les jardins du consulat ; et lorsqu'on la garait devant les cabarets où le vieux plénipotentiaire courait les putes, le chauffeur restait toujours vigilant, sans cesse en train de caresser les gros phares, de polir les chromes ou d'astiquer le cuir des sièges comme un amant délicat. L'automobile, pourtant âgée de vingt ans, était si bien conservée qu'on aurait dit une jeune vierge à peine sortie de l'usine. Naturellement, elle était convoitée comme une cocotte par tous ceux pour qui une voiture est plus qu'un moyen de transport.

Aussi, quand le moment était venu de dire au revoir et merci-pour-tout au discret conseiller du Pentagone qui partait en ne laissant derrière lui que des amis dans les cercles de la police politique et des services spéciaux de l'armée, cette Jaguar avait été évoquée comme le seul cadeau convenable. N'était-il pas aussi collectionneur d'automobiles, l'illustre militaire américain ?

Les services de renseignements s'étaient dépêchés, les méandres bureaucratiques avaient été contournés et la prestigieuse commande passée à l'entreprise fiable de Jacinto. Contacté suffisamment à l'avance, Negão avait pu descendre tous les soirs de sa cabane pour faire la cour à cette belle chatte mûre aux ailes aussi bombées et fières que des tétons.

Il l'avait assiégée plus d'une semaine, observant soigneusement les caresses et les gestes du chauffeur, à la fois dans la rue et derrière les grilles du consulat. Peine perdue, puisque la Jaguar était plus surveillée que l'honneur de la femme du diplomate. Mais, même à distance, Negão avait établi le contact, fait connaissance. En fait, il connaissait déjà bien la mécanique anglaise, car les petites MG décapotables et les Land Rover étaient très prisées par les clients de Jacinto. Il fallait cependant ravir la belle dans son gîte nocturne.

Ouvrir la grille du consulat n'avait pas été un problème ; les fers forgés anciens ont beau être nobles, ils se marient mal aux serrures modernes et aux systèmes d'alarme. La nuit pluvieuse du dimanche aidant, les volets fermés du consulat protégeaient le sommeil des diplomates et des domestiques. La serrure anglaise bien huilée n'avait poussé qu'un petit soupir sous les caresses du mulâtre, et la voiture avait alors entrouvert ses portes pour un examen approfondi. Pas de casse ni de violence. D'un doigté moelleux, les fils avaient été connectés, le volant dégagé, puis la Jaguar avait descendu la pente légère jusqu'au trottoir. Une fois l'enceinte du consulat de nouveau bouclée, Negão avait pris place dans l'auto, démarrant en sourdine et glissant le long des rues mouillées de la plage Botafogo pour une longue promenade vers les contrées désertes du sud de la ville. Il se faisait un point d'honneur d'explorer intimement ses conquêtes, savourant la mécanique, les suspensions, la fougue des moteurs et des transmissions, avant de les remettre, épuisées et chaudes, aux garagistes de Jacinto.

Puis, vers les quatre heures du matin, Negão était entré discrètement dans un des entrepôts du port, où le compère l'attendait personnellement pour prendre la livraison. La Jaguar, escortée par des Marines du consulat américain, avait alors été embarquée à bord d'un cargo en partance pour la Nouvelle-Orléans, où le fonctionnaire du Pentagone lui-même la récupérerait pour la conduire fièrement jusqu'à sa maison.

Ce n'étaient pas toujours des commandes si nobles, ni des missions si complexes, si diplomatiques. D'habitude la voiture choisie était garée dans la rue, et souvent Negão devait lui-même chercher l'auto qui correspondait aux vagues indications de son compère Jacinto : une auto sport, n'importe laquelle ; une décapotable neuve, européenne de préférence ; ou encore une limousine distinguée, pour un amateur de films d'espionnage. Plus rarement, un camion chargé d'une quelconque marchandise convoitée par un entrepreneur en rupture de stock, ou tout bonnement des autos peu courantes, pour les pièces détachées.

Negão accomplissait cependant chaque tâche avec soin et tendresse, par amour du métier. Et il découvrait toujours des détails techniques nouveaux, des difficultés ou des singularités qui compensaient la routine du boulot.

Travaillant peu, il ne gagnait que le strict nécessaire pour continuer à vivre librement, et il ne se faisait pas trop connaître ni trop envier dans le domaine de l'automobile maquillée. Le reste du temps, il se promenait. Comme ça, sans but, pour regarder vivre la ville, pour s'émerveiller de la vie des autres, pour rendre visite aux amis ou pour s'étendre sur le sable chaud des plages en laissant la tête partir en voyage.

La matinée était déjà bien avancée lorsqu'il se levait paresseusement, le sourire aux lèvres. Si une fille se trouvait à ce moment-là entre ses bras, il la caressait avec plaisir sans chercher d'explication ni évoquer les souvenirs de la veille. Sinon, seul dans le lit de bois, il s'étirait en occupant toute la place et en méditant sur le plaisir de dormir tout seul. Sa cabane exiguë s'animait alors avec les bruits du voisinage, auxquels il prêtait une attention vague pour se rassurer sur les autres habitants. L'été, il ouvrait la petite fenêtre de planches pour regarder dehors, pour sonder le ciel à la recherche de cerfs-volants, histoire de bien se réveiller et de dissiper les restes d'étranges cauchemars. Il éprouvait à chaque réveil un soulagement singulier, qu'il cultivait en prolongeant ses ablutions, en prenant tout son temps pour faire du café et chauffer quelques tranches de pain rassis. Puis, assis sur le seuil de la porte en sirotant le café, jambes écartées, il dégustait ses premières cigarettes en reprenant contact avec la vie.

La fréquentation des autos de luxe n'avait pas transformé son modeste train de vie. Il aurait pu, certes, accepter les propositions de plusieurs copines et déménager dans une demeure plus convenable. Avec le temps, cependant, il avait compris que cette façon de vivre était non seulement la plus pratique, mais aussi celle qui préservait le mieux sa liberté. Il n'avait que peu d'attaches matérielles, et bien rares étaient les femmes qui insistaient pour rester dans cette cabane trop rudimentaire. Il n'avait même pas de poste de radio! Quelques habits, une table bancale, la cage d'oiseaux, deux chaises dépareillées, le miroir cassé accroché au-dessus de la bassine, et le réchaud à gaz pour le café. Le reste était empilé, pêle-mêle, le long des murs de planches et autour du réservoir d'eau: bouteilles vides, outils de mécanicien et papier pour fabriquer des cerfs-volants, bongos et diverses boîtes de métal en guise de percussions, quelques livres, revues et le vieil atlas que lui avait donnés le capitaine Mindras.

Il restait ainsi désœuvré, accueillant les voisins qui voulaient bavarder ou qui avaient besoin d'un coup de main pour quelque travail exigeant une force de géant. Le plus souvent, il s'absorbait dans le spectacle des enfants qui jouaient; il réparait leurs cerfs-volants, il ajustait les roulements ou la conduite de leurs boîtes à savon, ou encore il donnait aux jeunes gens des conseils sur la mécanique comme d'autres l'avaient fait autrefois pour lui, à la prison.

Puis il descendait le long du sentier vers la buvette de Juca le Galicien, où toutes les nouvelles du monde arrivaient bruyamment par la radio et par la télévision. L'odeur des sardines grillées entourait ce lieu de rencontre où d'autres vagabonds échangeaient des propos animés et définitifs sur des sujets allant de la politique au football, en passant par les descentes de police. Negão pouvait y rester longtemps à bavarder ou à écouter les histoires des autres, partageant une assiette ou une bouteille de bière, rien que pour la compagnie. Et les aventures se présentaient d'elles-mêmes, dans le va-et-vient des conversations. Sinon, il repartait seul, l'air affairé en guise d'excuse, vers ses longs vagabondages au cœur de la ville. Le marché aux poissons de la place Quinze; la place Maua pour s'enquérir des marchandises trafiquées au port; le port aussi, pour rendre service ou pour voir les copains débardeurs avec qui il restait en contact. Des fois, on avait besoin de ses talents pour des opérations délicates au fond des cales. Si la tâche était intéressante, Negão oubliait complètement le temps. Ou alors, il étirait ses pas vers la Lapa en passant par le garage de taxis où souvent il rencontrait son ami Pindoca occupé à d'éternelles besognes mécaniques sur les vieux taxis rafistolés. Puis la visite au maître Sirigaito Alfombra dans le salon de barbier où il était toujours certain de participer à une conversation élevée, d'écouter des récits de vie, jouissant des fleurs philosophiques ou des joutes verbales enthousiastes sur les sujets les plus variés, depuis l'amour jusqu'à la mort, sans oublier les paroles des sambas, les luxuriantes manifestations de la sexualité féminine ou la cuisine tropicale. Le salon du maître Sirigaito était un véritable temple de la culture nationale.

Les journées passaient ainsi, toujours trop vite, toujours trop courtes pour toutes les choses qu'il y avait à apprendre. Et avec la tombée de la nuit, dans les bars, les buvettes des favelas, les écoles de samba, les bals et les fêtes, le tourbillon était tel que Negão n'avait pas assez de temps pour tout absorber.

Sa vie était si intense, si riche que souvent il devait s'isoler des autres pour réussir à mettre de l'ordre dans ses pensées, pour se délecter de ses propres rêveries. Negão avait gardé cette vieille habitude du temps de la prison, et c'était ainsi, isolé, seul avec la nature, qu'il parvenait à préserver le fil cohérent de son existence vagabonde.

Les plages lointaines lui paraissaient particulièrement propices à ces escapades solitaires. Il aimait nager très loin, surtout à la tombée du jour lorsque le ciel et la mer se confondent pour devenir un seul élément; il se laissait alors bercer par le courant, plongé dans un immense univers de noirceur. Flottant à la frontière des deux gouffres, Negão éprouvait une espèce de renouvellement des sentiments, une sorte de paix avec la vie. Sa tristesse originale se dissipait à mesure que son corps nageait tout seul, sans effort, incapable de se laisser couler ni de se hausser en vol, glissant entre les deux éléments sans savoir s'il était poisson ou s'il était oiseau. Même quand il plongeait de toutes ses forces, son corps retrouvait la surface et refusait de mourir. Les lumières des maisons sur la rive disparaissaient presque au loin, pendant que les étoiles pointaient de l'autre côté, vers cette Afrique mythique et inconnue, tant de fois imaginée. Perdu dans cette immensité et loin de la vie, Negão finissait par rire de sa propre condition à mesure que la mer caressait sa mélancolie. Puis, sentant ses muscles se tendre vers la plage, il mettait toute son énergie dans les coups des bras et des jambes malgré les courants du large souvent opiniâtres.

Fourbu et moqueur devant cette mort qui n'avait pas l'air de le vouloir, il devait ensuite marcher des kilomètres pour retrouver ses vêtements, tant cette attirance du gouffre l'entraînait loin. Mais il revenait chaque fois le cœur léger, et ces escapades étaient sa seule religion. La misère autour de lui, ses souvenirs d'enfance, les gamins pauvres de la Joie de Vivre, la nostalgie qu'il éprouvait souvent et toute la saleté du monde cessaient de le tourmenter. Seule la ville apparaissait alors, pleine de gens et de choses à voir, un spectacle fascinant qui cachait pour quelque temps la pourriture dont lui avait parlé Mindras. Et il pouvait flotter encore, entre le ciel et la mer, entre le passé et l'avenir, sans rien devoir à personne.

Tout homme qu'il était, Negão envisageait l'existence comme un petit garçon. Il n'avait pas appris à respecter les choses respectables et, devant chaque personne ou événement, il cherchait d'abord à se faire une opinion personnelle. C'était une autre habitude de la vie carcérale où l'on ne respecte que les valeurs authentiques ou le pouvoir tout en attendant le moment propice pour les confronter dans la pratique. Les rangs, les distinctions, les classes sociales et les uniformes étaient à ses yeux des déguisements derrière lesquels se cachaient d'autres petits garçons, souvent craintifs et rancuniers, qui se trahiraient le moment venu.

Il allait ainsi, rassuré par sa connaissance de la ville, saluant ses pairs et cueillant les fruits de la terre, réjoui et amoureux des choses qui touchaient son cœur. Sans dieu ni maître et sans peur du lendemain. Toute la vie était pour lui un immense terrain de jeux, un magasin de jouets, une forêt et un parc d'attractions. Chaque nouveau jour lui apportait de nouvelles occasions de rire et de respirer. Et puis le grand plaisir que lui donnait le travail manuel compensait les moments difficiles : s'absorbant dans le moindre problème mécanique, il oubliait la faim, les obligations et les tracas, même les femmes. Il se mouvait donc comme ces poissons solitaires que les pêcheurs ne retrouvent jamais dans les filets jetés au hasard.

Une tristesse sans nom, une nostalgie étrange demeurait cependant, comme une bête, tapie au fond de son âme. C'était quelque chose qu'il ressentait vaguement, venant de nulle part. Elle ne paraissait jamais dans son visage ni dans les mouvements du corps ou de l'humeur. Il la gardait pour lui, enfouie et protégée presque comme un trésor, cette semence de son identité. Il apprenait même à lui faire face dans certains moments de solitude, ou bien il la reconnaissait dans certains mouvements impulsifs de générosité gratuite qu'il regrettait par la suite. Et curieusement, ce fond mélancolique ravivait sa joie de vivre, en le réveillant, soulagé après des peines d'amour, des échecs ou des combats perdus. C'est que ces petits avatars de sa destinée n'étaient rien lorsque comparés à la noirceur qui guettait au plus profond de son être. Si une petite tristesse l'amenait à lécher ses blessures, la présence de cet abîme essentiel les rendait triviales, ridicules, et son corps formidable réagissait, tôt ou tard, par un sourire de sagesse devant la comparaison démesurée. Et de cette tristesse originale jaillissait alors l'énergie d'un soulagement immense devant le soleil du matin ou un gémissement de femme en extase…

14

Une ville énorme, les rues pleines de passants, le trafic intense d'une chaude fin d'après-midi, et tant de solitude. La ville entière est devenue étrangère, le pays hostile, et Negão se sent comme descendu par hasard dans une gare inconnue. Il va d'un pas décidé, plongé dans le courant comme s'il avait un but. Par pure habitude. Il se laisse glisser pour mieux réfléchir et pour s'orienter. Une petite tension nerveuse lui taquine les muscles du visage ; une sorte de crampe discrète mobilisant les pommettes et les lèvres. Le pli entre les sourcils paraît aussi plus marqué, les yeux plus attentifs. De loin, il ne se distingue pas des autres gens, car la chaleur étouffante provoque une certaine nonchalance dans les regards, un inconfort lourd et une fatigue dans les jambes.

Il se sent en sécurité pour le moment. La nourriture chez Sirigaito lui a redonné des forces. Même si les adieux ont été tristes. Voilà, c'est bien ça, la tristesse ; plus encore que la solitude. Une tristesse vague où se mélangent des souvenirs d'enfance et celui de Doralice, avec une pointe de révolte contre cette fatalité idiote. En compagnie du maître, Negão a pris conscience de sa situation, de la retraite à laquelle il doit s'astreindre. Mais, peu à peu, les changements majeurs s'imposent à son esprit. Il analyse alors dans sa tête plusieurs possibilités, des listes de noms et de lieux de fuite, les pesant avec soin. Sont-ils sûrs ? Comment réagirait un tel en sa présence ? A-t-il le droit de mettre les gens en danger ? Vaut-il la peine de prendre tel ou tel risque ? Comment réussir à ne pas se faire prendre jusqu'au bon moment pour un rendez-vous ? Toutes ces questions trottent dans son esprit. Il soupèse chaque possibilité, sans trouver de réponse. Ou plutôt si, en trouvant uniquement des réponses négatives. Sirigaito lui-même est en danger. Negão a bien fait de refuser son offre. Maintenant, il lui faut se débrouiller seul. Il est dans une situation trop difficile pour demander de l'aide. Sauf qu'il n'a pas compté sur ce sentiment de solitude, sur l'incapacité de trouver un refuge. Le bilan terminé, il se rend compte qu'il n'a pas d'issue. Toutes ses hypothèses aboutissent à l'isolement, à l'impossibilité de compromettre qui que ce soit.

Du côté des chasseurs, le temps est certainement utilisé au maximum pour refermer le cercle sur lui, pour l'affamer, le démoraliser, le pousser au désespoir. Negão se souvient alors des récits de chasse, d'autres proies dont il a entendu parler. Des types de valeur ont parfois fini humiliés, brisés ; des paquets de nerfs à vif s'offrant pratiquement aux chiens, sans autre désir que celui de se rendre. Prêts à tout pour pouvoir s'allonger, dormir… Tant qu'il est encore au large, libre, il faut continuer à courir ; surtout ne pas s'arrêter de penser.

L'idée lui vient parfois de braquer une banque, de fuir vers un autre État. Trouver une auto n'est pas un problème ; mais braquer une banque seul, sans soutien, c'est déjà plus compliqué. C'est faisable… Mais ça mettrait ses propres amis dans une situation plus critique encore ; ça les transformerait en proies à abattre. Ils le tiennent, c'est sûr. En cernant ses amis, la police ne lui laisse que la possibilité de filer en douce, sans casse. Un braquage de banque compromettrait tous les autres, complices de terrorisme. Donc, fuir… Mais sans argent, il n'ira pas loin. Il lui faut attendre pour mieux planifier un départ. Dans quelques jours, il aura une meilleure perspective, peut-être même certains contacts… Alors seulement, il pourra préparer un voyage discret, en camion, vers le nord. Salvador ou Recife, Sirigaito a raison. Là-bas, il se débrouillera pour passer inaperçu. Mais en attendant…

Cette attente, cet intervalle pour assurer ses arrières, ce petit répit de rien est son point faible. C'est sur ce court laps de temps que comptent les chasseurs. C'est leur avance sur lui. Et ils le savent. Sa tête mise à prix dans toute la ville. L'émoi provoqué par les nouvelles et les rumeurs d'attentat font de lui un proscrit, plus dangereux qu'une malédiction ; un pestiféré. La police harcèle sûrement tous ceux qui le connaissent. Des cohortes de sbires et d'indicateurs bravent en ce moment même la chaleur dans l'espoir d'un gain facile. Un gain de taille : la reconnaissance de gens bien placés, peut-être même un poste bien rémunéré, mitraillette en bandoulière. Les désœuvrés sont nombreux en ces temps difficiles. Il s'agit d'une occasion à ne pas manquer, juste avant le carnaval. « Negão ? Ah, Negão, bien sûr… Oui, peut-être je pourrais savoir où il se trouve, qui il faut contacter… » En triant avec diligence ces bribes d'informations, ces racontars, ses poursuivants avancent plus vite que ses propres pensées. La forêt se change ainsi en savane, sans lieux occultes, puisque les chiens se feront aider par toutes les bêtes, par les arbres, les grottes, et la poursuite deviendra de plus en plus serrée. Lorsque la populace se mêle à la chasse, cela devient du lynchage. Et les flics savent bien comment mobiliser les gens… « Negão ? Il est fini. Une simple question d'heures. Armé et désespéré, capable des pires imprudences… Il faut l'arrêter avant qu'il ne fasse d'autres bêtises… Qui pouvait s'imaginer une folie comme celle-là ? Un gars apparemment si correct, si tranquille… Compromis jusqu'au cou avec les terroristes. Jeu double… Il faut l'arrêter. C'est un gars fini. » Personne ne lui fera plus confiance, toutes les portes lui seront fermées ; et la paix dans les âmes ne reviendra qu'à la nouvelle de sa mort.

En pensant à d'autres chasses, Negão se rappelle comment la réputation d'un gars peut être réduite à néant en quelques heures. La battue commence avec des rumeurs, puis elle se fait toute seule. Ce n'est plus seulement la police qui veut la proie, toute la ville s'en charge. Les amis de la veille se souviennent soudain d'un tas de choses auxquelles ils n'avaient pas pensé concernant la proie. Oui, dans le fond, la police a raison. Il faut l'arrêter, pour que revienne la paix. La peur est un sentiment si puissant que les hommes sont prêts à tout pour se sentir rassurés. La vérité ? La seule qui compte, c'est celle d'après la bataille, celle des vainqueurs.

Negão pense à tout cela, pendant que son corps gracieux avance d'un pas de danse parmi les passants. Où aller maintenant ? Où passer la nuit ? Ce problème immédiat est le plus pressant. Il lui faut se reposer, se cacher en attendant, éviter d'être surpris…

Je pourrais aller à plusieurs endroits… mais où précisément ? Quelque place imprévue, où je ne dérangerai pas, où on ne sait rien… Les nouvelles courent vite. Peut-être même là, où ils ne me cherchent pas, là aussi on doit déjà savoir… Il me faut éviter à tout prix les gens qui me doivent des faveurs. Je ne suis pas en position de régler des comptes… les gens qui viennent pour recouvrer sont toujours les malvenus. Non, ce n'est pas le moment d'essuyer des refus. Ça va m'enrager pour rien. En tout cas, éviter la zone nord. Ici, près de la mer, je suis plus en sécurité ; ce n'est pas mon monde, ils ne me connaissent que par ouï-dire… Tant que je me promène, tout paraît en ordre… avoir l'air d'aller quelque part, à la maison. La Joie de Vivre ? C'est fini pour toujours…

Ce « pour toujours » lui fait penser à Doralice. Il a évité jusque-là de penser à elle. Sirigaito va s'occuper de la petite.

Elle ne sait rien. Quinina pourra témoigner qu'elle ne savait rien. Ils vont sans doute la laisser en paix…

Sauf si elle y est pour quelque chose… Mais c'est impossible. Elle ne savait rien, presque rien sur moi… La pauvre petite.

Soudain, son sourire s'ouvre, large et détendu, remplissant la plage Flamengo sous la lumière du soleil. Il a toujours su que Doralice lui viendrait en aide. Justement, elle ne savait rien… Et les histoires qu'il lui a racontées lui reviennent à l'esprit pour montrer la direction d'un refuge sûr. La Nega Ofelia… personne ne le cherchera là-bas. Personne ne se souviendra de la vieille.

Sauf moi. La Nega Ofelia sait tout ; elle voit l'avenir dans ses visions. Elle a même vu Doralice, bien des mois avant que je la rencontre… Qui sait, c'est peut-être elle-même qui m'appelle, son petit Zacarias…

Le sourire content s'efface, mais plisse encore le coin des yeux. D'un pas plus décidé et rapide, Negão avance désormais avec un but, en réorganisant toute sa stratégie autour de la cabane de Nega Ofelia, dans la favela Rocinha*. C'est un quartier chic, où personne n'attend sa visite. Et puis la Rocinha est gigantesque ; la plus grande favela du continent, voire de tout l'univers. Personne ? À coup sûr, Nega Ofelia l'attend. La prêtresse de la macumba sait tout et elle va protéger Negão comme son propre fils.

Nega Ofelia : quatre-vingts ans au moins, et elle travaille toujours. Macumba, spiritisme, voyances de toutes sortes, contacts discrets avec l'au-delà et une collection colossale d'herbes et de remèdes pour soigner le corps et l'âme. Elle est établie depuis toujours sur le haut de la Rocinha pour pouvoir

---

* La plus grande favela de Rio de Janeiro, située dans un des quartiers les plus chics de la ville, près d'Ipanema, en face de la lagune.

regarder Yemanja* avant le lever du soleil. Sa clientèle dépasse le monde simple des pauvres ; beaucoup de dames riches et parfois des épouses de médecins et de politiciens font appel à ses services. Leurs bonnes et leurs lavandières savent que la Nega peut résoudre les problèmes les plus délicats, et qu'elle reste toujours très discrète. À cause de l'âge, elle ne se déplace plus autant que par le passé ; mais, de sa cabane, avec ses amies comme messagères, elle contrôle encore de nombreuses destinées. Plus d'un richard des quartiers des plages boit de ses tisanes sans s'en rendre compte, puis il abandonne sa maîtresse sans motif valable. Ce sont les œuvres discrètes de la vieille Noire. Elle n'aime pas se vanter de son don de Dieu, qu'elle distribue généreusement pour alléger la souffrance des autres. D'ailleurs, elle ne parle presque plus ; ses yeux à demi fermés contemplent déjà l'éternité, en paix avec les Egoums** et les Orixas*** de son paradis. Mais elle écoute encore attentivement et sa tête reste fraîche. Sa cabane de sorcière est ainsi un havre de paix puisqu'elle absorbe tous les malheurs, les digère et les transforme. Seul son sourire édenté exprime sa joie lorsque les vieux amis lui rendent visite — de moins en moins souvent, hélas. La plupart sont morts ; ils ne l'appellent plus que de l'au-delà pour lui raconter des choses que seuls les vieux peuvent comprendre. La vieille Ofelia a oublié de mourir : avec toutes ses herbes et son corps sec, il n'y a pas de maladie qui puisse l'abattre. Elle reste ainsi patiemment en vie méditative, respectée de tous, presque une sainte. Elle ne descend que pour la nuit de la Saint-Sylvestre,

---

* Déesse des mers et des eaux dans les cultes animistes afro-brésiliens de rituels nago et yoruba. Mélange de Vierge Marie, de Vénus, de sirène et d'esprit de la mort pour l'imaginaire populaire.

** Esprits ancestraux ou âmes des morts qui veillent au bien-être des vivants dans la macumba. Anges gardiens pour l'imaginaire populaire.

*** Divinités non spécifiques de la macumba de rite yoruba.

lorsqu'un cortège de vieilles et de jeunes en robes blanches la conduit en palanquin jusqu'à la plage, pour ses offrandes à la déesse des mers. Plusieurs la croient même apparentée à Yemanja; une sorte de cousine éloignée peut-être, mais personne ne le sait au juste.

Nega Ofelia est l'une des marraines de Negão. Il y a long-temps, Pindoca l'a emmené à la Rocinha pour qu'il ait un peu d'instruction religieuse, car Zacarias était athée après toutes ses années de prison. Pour un Noir de sa taille, l'absence de contact avec les esprits ancestraux était un véritable blasphème. Les amis avaient donc décidé de corriger cet affront par une fête où les Egoums de Negão, enfin identifiés et salués comme il se doit, répandraient des bienfaits sur tous les présents. L'événement était plus solennel encore que le parrainage chez Jacinto. Présidée par Nega Ofelia en personne, la fête a duré deux nuits, avec d'innombrables libations de cachaça et de bière, tout le monde ivre à la fin, et beaucoup de dévergondage dans les cabanes voisines. Un succès.

Negão est resté athée. Le fait d'être le descendant de Xango* ne l'a pas impressionné outre mesure. Il a gardé dans le cœur une répugnance tenace contre toutes les sortes de reli-gions. Mais il aime la liturgie de la macumba: les rythmes, les offrandes, surtout la mollesse des jeunes filles après les rituels agités, leur ivresse de cigares et de cachaça, leur moiteur et leur abandon en compagnie d'un fils de Xango.

Nega Ofelia s'est prise d'affection pour lui, peut-être à cause du contraste entre les vertus guerrières de Xango et la tendresse de Yemanja qui s'exprimaient si bien dans la personne du jeune Zacarias. Elle lui a raconté beaucoup de choses sur ses vies

---

*   Grand dieu du tonnerre et de l'éclair, une des divinités les plus puissantes dans la macumba.

antérieures, lorsqu'il vivait encore en Afrique. Qu'il avait été lion, puis éléphant, pour ensuite devenir homme dans une tribu noire comme la nuit, pleine de rois et de dieux de la forêt. Des histoires bien anciennes que Nega Ofelia mélangeait parfois en dialectes bizarres, très confuses, où les sons des tambours faisaient danser les esprits des morts pour les reconduire au pays de leurs ancêtres. Elle lui a appris qu'en fait il n'avait jamais été girafe ni fils d'une baleine et d'un joueur de basket-ball. Avant d'être lion, il était un oiseau coloré et bon chanteur, une espèce de perroquet de chasse qui n'existe que là-bas. C'est le plus loin qu'elle a pu remonter dans les vies antérieures de Negão. Mais pas un mot sur ses vrais parents. Ceux-ci avaient accompli leur cycle ; il fallait les laisser en paix. Elle l'a baptisé de nouveau et il est resté son filleul.

La taille de Negão n'a donc rien à voir avec ses incarnations antérieures. Quoiqu'on puisse très bien imaginer qu'un type comme Vigario ait été hyène ou un quelconque rat charognard. Mais non. Ces histoires ne marchent que pour les Noirs, ceux dont les ancêtres sont venus d'Afrique et qui doivent y retourner. Pour les Blancs, c'est une autre affaire ; c'est plus confus et moins sérieux à la fois, avec des trucs de petit Jésus, des virginités trompeuses et d'autres fourberies de curés pour profiter de la souffrance des croyants. Nega Ofelia, au contraire, a toujours été respectueuse de la vie et de la passion des pauvres gens. Elle ne refuse jamais son aide si la cause est juste. Même aux Blancs les plus orgueilleux, à ceux qui oublient les bienfaits et l'angoisse dès qu'ils se portent mieux, et qui renient alors la macumba et les esprits en disant que ce sont des choses de nègres et de sauvages. Qu'importe. Nega Ofelia est sage ; elle sait que les créatures sont fragiles. Et que très souvent, derrière les Blancs les plus intransigeants de ce pays, il y a un esclave noir en train de ramoner une arrière-arrière-arrière-grand-mère portugaise dans la pénombre des alcôves coloniales…

Negão ne rend pas très souvent visite à sa marraine, il est vrai. Mais la protection à un fils de Xango lui est garantie. Et personne ne se souviendra de sa cabane de vieille sorcière. D'ailleurs, tout le monde sait que Negão n'est pas friand de macumba. Et Doralice ?

Pas vrai, la petite est fiable ; je peux lui faire confiance. Elle ne sait presque rien... Et puis, le nom de la Nega n'a aucune importance. Doralice n'a même pas fait attention...

Avec une pointe de tristesse en pensant aux histoires que Doralice n'a peut-être même pas écoutées, Negão prend l'autobus en direction de la Rocinha. C'est un autobus rempli à craquer, en plein trafic de fin d'après-midi, de passagers endormis par la chaleur et fatigués de leur journée de travail. Ils rêvent tous de bière froide, de femmes moites et de feuilletons à la télévision.

15

Au même moment, de l'autre côté de la ville, place Republica, au siège de la gendarmerie, le calvaire de Doralice ne faisait que commencer.

On avait tout surveillé, tout fouillé, mais Negão restait introuvable. Les gens arrêtés à la Joie de Vivre n'avaient rien à dire, les policiers le savaient d'avance, et si ceux-ci leur avaient donné quelques coups, c'était plutôt pour leur apprendre le respect, par vengeance. Pindoca, Sirigaito, Jacinto et d'autres encore, eux aussi avaient disparu sans laisser de trace. La maison de Quinina était restée sous surveillance toute la matinée. Vers deux heures, Doralice avait été avertie par un petit garçon inconnu ; lorsqu'elle avait tenté de fuir, les policiers avaient décidé de la cueillir. Des sbires étaient restés sur place pour que Quinina apprenne à se tenir tranquille. Les autres filles avaient reçu l'ordre de rester dans leurs chambres sous l'œil vigilant de Greta Garbo.

Doralice avait d'abord été emmenée au commissariat pour un interrogatoire de routine, histoire d'attendre encore un peu, d'obtenir sa collaboration en lui faisant peur. De toute façon, la proie resterait au large durant le jour. C'était la planque du soir que les flics voulaient connaître. Tout l'après-midi pour ramollir la petite. Puis cette connerie de l'avocat, cette blague d'encercler le débarcadère et de dépêcher des hommes à Niterói ; tout cela n'avait fait que ralentir l'enquête et n'avait donné que de faux espoirs. Les forces s'étaient regroupées vers quatre heures, après le retour en fonction de ceux qui avaient vécu la nuit à Belford Roxo ; puis d'autres encore, de la brigade des mœurs, qui savaient s'y prendre avec les gens du milieu. Les gars de la police politique paraissaient complètement désorganisés devant ce nouveau terroriste dont ils n'avaient jamais entendu parler. Il avait fallu tout rediscuter avant de transférer la petite au siège de la gendarmerie. Doralice, la seule prise de la battue dans la ville entière.

Elle n'avait rien à dire ; elle ne savait rien. Elle prétendait que Negão n'était qu'un client occasionnel. Quinina avait dit la même chose, mais Greta Garbo assurait que Doralice en savait plus. Vigario, à peine sorti des vapeurs de chloroforme, allégé en fait de plus de la moitié des couilles — selon le rapport du médecin lui-même, dont l'original fut confisqué par le secrétaire personnel du colonel Ardovino —, Vigario donc somma ses collègues de faire parler la petite :

— La putain est de connivence, complice avec préméditation… Faut qu'elle parle…

Et il retomba dans une torpeur remplie de rêves confus, sans pouvoir préciser ce que Doralice était censée savoir.

Il était clair qu'elle était chez Quinina depuis mardi, et que personne n'avait vu Negão dans les parages. On l'avait laissée comme appât, mais il était temps de la faire réfléchir. Il fallait maintenant qu'elle dise quelque chose, qu'elle donne des pistes, qu'elle en invente s'il le fallait, mais qu'elle fournisse des informations. N'importe quoi : un nom, une adresse, un parent, une ville à la rigueur…

Les méthodes policières font l'objet d'un véritable culte au Brésil. Chaque État de la république veut surpasser les autres en expertise et en métier, en techniques et en psychologie, en imagination et en artifice. Peu de polices égalent cependant celle de

Rio en raffinement. Et comme il s'agissait d'une simple prostituée, sans famille ni avocats, et que les policiers de la criminelle prêtaient leur concours à ceux des mœurs, de la politique et de la gendarmerie, on aurait vite des résultats. La conscience est si faible, la douleur si vaste…

La petite s'obstinait à ne rien trouver qui vaille. D'abord elle prétendait que Vigario et Negão étaient des amis, que Vigario était sûrement dans le coup à cause duquel on cherchait le nègre, si toutefois il s'agissait d'une affaire de mœurs. Pas bête, la Doralice, surtout depuis que Sirigaito l'avait mise au courant. Cela intrigua un peu les sbires, d'autant plus qu'elle paraissait vraiment vouloir défendre Vigario. Ardovino suggéra même que l'on fasse venir le policier de son lit d'hôpital pour qu'il avoue son implication dans l'histoire. Mais Jaco Chapeleta l'en dissuada, en éventant les renseignements donnés par Greta Garbo. Dommage. D'ailleurs ce Jaco, détective auxiliaire, autrefois très lié à Vigario, allait vivre une conversion spectaculaire au cours de ces événements. Il embrasserait par la suite la foi des témoins de Jéhovah et se mettrait dès lors à prêcher la bonne parole et à annoncer la fin du monde. Certains disent que ce fut un châtiment de Xango; d'autres, que ce fut un miracle de la Vierge Marie, après le martyre que connut Doralice pendant ces journées funestes. C'est à Jaco Chapeleta, devenu frère Chapeleta, qu'on doit les détails de l'interrogatoire de Doralice. Il y voit encore la passion du Christ réincarné en fille pour déclencher la Parousie. Ses vues peu orthodoxes s'expliquent sûrement par le choc que provoqua chez cet être faible le comportement stoïque et combatif de la fillette.

Si mignonne, toute rouquine et frêle, un charme de créature gentille et douce, timide… De sa voix claire, elle leur en fit baver. Et il y en a qui parlent encore de couilles lorsqu'il s'agit de bravoure. Elle en avait, des couilles, la Doralice; grosses comme les tétons de la Terre, graves et pendantes comme les étoiles de la Croix du Sud. Du courage et de la ruse à faire pâlir beaucoup de mâles prétentieux. De la passion pour son homme comme une femelle jaguar pour ses petits. Dalice…

Ils la maltraitèrent. Cruels et haletants, les cigares sucés avec force pour en activer le feu, les machines infernales accrochées de toute part et vibrant d'éclairs électriques… Lentement, avec minutie et rigueur, sous l'œil attentif du docteur Chibata, médecin légiste, et en présence de monsieur Alcoforado, psychologue spécialisé diplômé de la Sorbonne et criminologue amateur. Toute une expertise pour que le corps fragile de Doralice ne s'éteigne pas ; pour laisser à la douleur le temps de s'infiltrer et de miner la volonté, la conscience, le caractère, les sentiments les plus profonds. Un corps si délicat se rebiffe facilement, le cerveau s'ennuage, le cœur trébuche. Voilà qu'en un clin d'œil la fillette pouvait embrasser la mort rien que pour emmerder les autorités. « Il y a une progression à respecter », avait l'habitude de signaler le psychologue Alcoforado dans ses cours à l'École supérieure de l'armée. « Du moral au physique, du physique au moral, judicieusement, en protégeant sans cesse le sujet contre la colère, les velléités héroïques et les sursauts maniaques. Il faut que le physique serve à l'abattement moral, qui est le véritable domaine de l'inquisiteur. La souffrance charnelle est là seulement pour humilier, pour remettre le prisonnier à sa place de subalterne. Le but en est un plus noble. Il faut qu'il vienne à aimer son maître, à se sentir protégé par lui. Seulement alors, la confession prend son sens piaculaire de délivrance, de soulagement. Elle est alors complète, collaboratrice et pleine de sollicitude. Une alternance subtile d'horreur et de terreur, chers messieurs les officiers », concluait-il.

Le docteur Chibata était plus prosaïque, plus scientifique aussi ; entouré de ses seringues, flacons et instruments divers, il contrôlait le pouls de la patiente, sa respiration, son cœur et sa pression. D'ailleurs, la pièce où se trouvait attachée Doralice n'avait pas du tout cet aspect sordide si fréquent dans les commissariats de police. Ici, à la gendarmerie, avec ce déploiement de chromes et de machines, on aurait dit plutôt un laboratoire médical, ou une salle de dissection.

Ils étaient plusieurs à investir le corps de Doralice, sans hâte, chacun à son tour, dégustant les élans pervers des confrères en véritables connaisseurs. Tous pleins de sourires, obséquieux avec la victime, la caressant et fouillant son intimité pour la faire revenir à la surface après les chutes dans l'horreur. D'autres observaient de loin, se relayant à l'occasion, le temps d'une cigarette ou d'une tasse de café.

Les voix alternaient dans l'esprit de Doralice, mélangeant ses pensées, noyant les instants d'espoir dans des gouffres profonds. Les éclairs de lumière derrière les yeux fermés déferlaient au rythme des secousses le long de sa colonne vertébrale, ébranlant le corps et le monde entier. Les coups de fouet tranchants comme le métal fondant, concentrés en un seul point sous la forme de brûlures de cigares, traversaient son âme à la verticale. Et pas moyen de mourir. Chaque fois, la remontée la ramenait vers la surface de la table, vers les courroies, vers les yeux souriants qui la pénétraient. Ils ravageaient son cerveau en réduisant son corps baigné de sueur à une seule décharge convulsive ; pour ensuite mieux la soigner, la calmer et l'entourer d'éponges fraîches. Ses cris devenaient des gémissements, puis des murmures légers, presque reconnaissants… Ils se changeaient ensuite en vagissements d'horreur annonçant de nouvelles plongées. Et ainsi de suite, continuellement, en faisant remonter chaque fois un peu plus de honte à la surface, des plaintes et des implorations.

Le temps passait. Doralice n'était plus amour, elle n'était plus rien. Son corps avait pris le dessus, devenant une poupée de guenilles geignarde et dépendante, tout entière humiliation et servitude. Cette loque répétait tout ce qu'ils voulaient, elle disait n'importe quoi ; ça parlait automatiquement par les courts-circuits entre la peau et le cerveau, sans représentation mentale, sans inhibition ni symbolisme. Sans âme.

Mais, hélas, elle parlait sans intention, sans recherche de la vérité, sans la rigueur nécessaire à la poursuite des buts démocratiques. Trop mécanique dans son verbiage, le cerveau ne savait plus focaliser ni réfléchir. Elle parlait comme une possédée, les yeux grands ouverts, presque enthousiaste parmi les frissons et les sanglots.

— Elle est folle, conclut le médecin en soupirant.

— Elle parle… ça parle, voilà ! rétorqua le psychologue. Elle parle comme un livre ouvert. Il suffit de lui poser la bonne question, d'orienter ses pensées.

Et, avec un geste de découragement, il conclut :

— Si vous ne savez pas au juste quoi demander, ce n'est pas mon problème. Fallait y penser avant. Là, elle est prête ; on ne la ramène plus.

En effet, ils ne savaient pas quoi chercher, quoi préciser pour que la petite réponde. Leurs questions vagues déclenchaient des envolées en coq à l'âne, confuses, où Doralice avouait des larcins d'enfance ou des vétilles auprès de gens inconnus. Ils avaient fait le tour des amis de Negão et elle avait tout avoué ; même qu'elle avouait d'avance. Au lieu de collaborer consciemment, de faire sien le dilemme des policiers, Doralice avouait toutes les peines du monde. Ils avaient été trop loin ; la Doralice saine d'esprit ne semblait plus pouvoir se réveiller.

Une idée vint alors à l'esprit du colonel Ardovino, plus connaisseur de l'âme humaine que les deux universitaires :

— Je sais comment réveiller la putain pour qu'elle pense plus clairement. Oui, je sais. Il aurait fallu commencer par mes méthodes. Ces trucs scientifiques sont peu précis, ça gâche le suspect.

Devant le regard interrogateur des autres, il ajouta, pensif et pondéré :

— Je ne sais pas si ça va marcher maintenant… rien qu'à la regarder, ça fait peur.

Puis, d'un ton décidé, il ordonna :

— Chapeleta, baigne la petite. Nettoie-moi ça comme une femme. Apporte-lui un café fort avec beaucoup de sucre. Plein de sucre. Pour lui redonner de l'énergie. Toi, Chibata, pique-la avec quelque chose de revigorant, pour la réveiller tout à fait. Puis, il faut la rhabiller, doux, doux. Un truc aussi pour qu'elle se trouve coquette dans le miroir. Appelez une des matrones, pour lui redonner du courage. Et que ça saute !

Vers sept heures du soir, ils avaient redonné à Doralice un semblant d'apparence humaine. Deux ou trois piqûres, un bol de café et de farine à la mélasse, un bain et un coup de peigne ; ses petits yeux paraissaient si reconnaissants que certains des sbires en étaient émus. Alcoforado suivait, curieux, la transformation, avide d'apprendre ce que l'expérience du colonel allait donner. Ce psychologue était d'ailleurs friand de nouvelles techniques ; au contraire de certains confrères, il ne dédaignait pas les procédures traditionnelles, ayant fait leurs preuves depuis le temps de l'esclavage. Sauf qu'il était ici tiraillé par sa formation moderne, entre l'expérience des confrères français et américains, et son orgueil tiers-mondiste.

Précédés du colonel Ardovino et de Doralice, les policiers et les universitaires descendirent au sous-sol où se trouvaient les cellules. Là, devant une pièce grillagée contenant une bonne trentaine de détenus tassés les uns sur les autres, le groupe s'arrêta.

Derrière les barreaux, il y avait toutes sortes d'hommes, ouvriers et vagabonds pour la plupart, mais aussi des syndicalistes de gauche, un journaliste et même quelques étudiants. Moisis par l'attente dans la pièce surchauffée, ils paraissaient quand même pleins d'énergie devant cette visite inopinée des autorités.

— Doralice, ma petite, lui dit Ardovino, nous cherchons Negão. Il faut que tu nous aides à le trouver. N'importe quoi. Fouille dans ta tête. Il n'est pas chez des amis. Il est quelque part ailleurs, où seulement toi peux le trouver. Vois-tu, je suis ici pour te protéger. Ceux-là, ils veulent te faire du mal. Je ne vais pas les laisser te tuer. Défends-toi. Dis-moi tout et je te sors de là.

Et en s'adressant aux détenus, il cria :

— Si elle crève, aucun de vous ne sort d'ici vivant. Mais je reste là et j'observe. Je veux qu'elle goûte du mâle, jusqu'au dégoût. Tous ensemble, à la fois, partout, sans la soigner… Mais gare à ne pas l'étouffer. Je la veux vivante… Et pour ceux qui montreront du cœur à la besogne, je promets la liberté pour danser au carnaval. Compris ? On veut voir s'il y a des hommes dans cette cellule. Ah ! ne la tirez pas vers le fond ; ici, près des barreaux. Nous, on veut tout voir. Ce n'est qu'une putain, elle est habituée…

Sans se rendre compte de la situation, Doralice franchit le seuil et se laissa enfermer dans la cage. Calmement, rassurée par cette présence humaine si familière, des prisonniers comme elle, des gens du peuple, presque des amis.

Comment décrire cet accueil, cet empressement, cette solidarité devant le carnaval ? Cette sollicitude fraternelle et virile ? Ce n'était qu'une putain. Une chose. Quelle chance de pouvoir montrer son savoir-faire aux autorités ! Dans ces têtes, en un éclair, les excuses s'étaient formulées automatiquement, et chacun pour soi se mit à l'œuvre pour rentrer dans les bonnes grâces du colonel Ardovino. Les fauves se jetèrent sur l'offrande pour apaiser les divinités qui observaient, assises de l'autre côté des barreaux.

Quelques heures plus tard, en se curant les dents, Ardovino taquinait le docteur Chibata dans un restaurant portugais :

— Vous, les civils, vous ne comprenez rien au peuple. Trop de théories, Chibata, trop de livres et peu d'expérience concrète des pauvres. On est au Brésil, mon vieux ! Vos trucs sont bons pour les étrangers. À chaque peuple ses méthodes. T'as vu ? Sans cette mauviette de psychologue, on n'aurait pas perdu tout ce temps. La sorcière de la favela Rocinha et la tante à Meriti. En un coup d'œil, sans rien demander ; et en me servant seulement de l'énergie nationale… de notre propre force ouvrière !

Tout en riant de plaisir, avec un mouvement du coude sur le bras du médecin, il remarqua :

— Cet Alcoforado, ne serait-il pas inverti par hasard ?

16

Negão avait décidé avec justesse de ne pas se présenter à Rocinha par l'entrée principale de la favela : trop de regards curieux et aussi trop de mouvement à cause des bals précédant le carnaval. Il préféra passer par l'arrière, pour arriver là-haut en grimpant les collines à travers les broussailles inhabitées. C'était une longue montée, difficile et fatigante. Mais il allait gagner les hauteurs de la favela sans être vu, pour surprendre Ofelia seule dans sa cabane.

Negão avait beau être élastique, l'état d'alerte commençait à peser sur ses mollets. La fatigue faisait son travail en ralentissant sa marche. Mais la tête dominait encore le corps, et le but l'attirait de façon magnétique. Son seul abri contre les chasseurs. Ce n'était pas le moment de sentir les douleurs. Ses muscles obéissaient, se dépensant en conséquence, doublement, à la perspective du repos là-haut. Bientôt… Pour le moment, la machine travaillait, même si Negão se blessait plus souvent, s'il perdait parfois pied, s'écorchant les genoux et les coudes. Une ascension moins gracieuse que son pas marin dans la ville, moins rapide aussi, mais très opiniâtre.

Nega Ofelia allait le recevoir comme elle l'avait toujours fait, sans poser de questions. De toute façon, elle connaissait d'avance le motif de sa visite. Sûrement qu'elle l'attendait, pour l'entourer de la protection des esprits… Nega ne s'occupait pas d'affaires de police ni de faits divers. Son domaine était la mort, l'éternité.

Negão forçait la marche. Il ne fallait pas arriver trop tard pour ne pas intriguer les voisins. Il avait de la chance quand même ; la répétition du groupe de carnaval, au bar du centre de la favela, paraissait bruyante et agitée. Dommage qu'il ne pût pas y aller, histoire de se relaxer un peu, de prendre une ou deux bières en profitant de la musique. Mais non. Il savait qu'il ne passerait pas inaperçu, que les gens allaient le reconnaître ou qu'une fille plus excitée finirait par l'attirer dans la danse… Mieux valait ne pas y penser. Et pour longtemps. Ce carnaval était perdu pour lui. Les plans qu'il avait faits avec Doralice resteraient de simples rêves… S'il pouvait seulement se cacher pendant quelques jours, sonder la meute, refaire ses forces… Il percevait bien maintenant le son des percussions. Bientôt, il serait arrivé au sommet, pour commencer la descente discrète vers la cabane de la Nega. La vapeur chaude qui montait de la lagune lui apportait plus distinctement le ronronnement sourd de cette gigantesque fourmilière.

Une fois assis là-haut, en regardant la ville toute scintillante de lumières et de vapeur, il pensa à Doralice.

Qu'est-ce qu'elle fait en ce moment, la petite ? Elle doit se faire du souci, c'est certain. Pauvre fillette. Sirigaito s'en est occupé… elle ne court pas de danger… On ne sait jamais… Mais si. Comme ça, elle sait qu'il faut attendre. Attendre longtemps, peut-être. Après je lui dis de venir me rejoindre… Où ? Je ne sais pas encore. Mais on va se retrouver… La mer est vraiment noire… comme un gouffre. Il n'y a personne là-bas. Je voudrais être un poisson pour me cacher dans toute cette obscurité. Ou un oiseau, pour voler la nuit entière, bien loin d'ici. Et Sirigaito, comment s'est-il débrouillé ? Il a de l'expérience, je ne m'en fais pas. Ce n'est pas la première fois qu'il doit se cacher. Mais Jacinto ; pour lui, je me fais du souci. Son avocat n'est pas fiable. Et puis avec toute sa famille... Peut-être que son avocat l'avait déjà balancé. Son affaire d'automobiles est une trop bonne prise ; ça fait trop d'envieux. Sans lui, ça ne marchera pas aussi bien ; il a les contacts, on lui fait confiance dans les autres États. Mais quand même. Ils vont peut-être détruire le vieux et mettre la faute sur moi. Tout ce combat depuis l'orphelinat, toute cette vie pour finir ici, assis dans la nuit... Triste comme un gamin... sans même savoir si Dalice disait la vérité...

Ses sentiments étaient très confus, ses pensées saccadées. Allumée par la solitude et la fatigue, une tristesse ancienne apparaissait au fond de ses yeux. Il croyait l'avoir chassée définitivement par l'action. Mais elle était seulement cachée, attendant un moment comme celui-ci pour le tenir de nouveau entre ses griffes. Une tristesse sans nom ni visage qui s'infiltrait en lui pour rendre son sourire amer. Tristesse étrange, qui donnait envie de tout lâcher, qui gâchait le désir de fuir. Elle l'amenait à penser qu'il ne devait pas se présenter chez Nega Ofelia, mais plutôt revenir sur ses pas. La mitraillette était là, facile d'accès ; il suffisait de se mettre à tirer, pour être certain d'envoyer plusieurs flics en enfer avant de se coucher. Pour dormir, dormir longtemps. La même sorte de tristesse qu'il ressentait autrefois, lorsqu'il était seul au port, sous les fardeaux. Plutôt une lassitude face au monde, avec une imperceptible envie de pleurer ; une espèce de mollesse, comme si le robinet des larmes n'était pas bien serré. Le sien avait des jointures de cuir mal ajustées depuis le début, rapiécées, et seule la force de son poignet avait réussi à le serrer encore, chaque fois davantage, pour qu'il ne coule pas tout le temps. Et puis la mer au loin était si noire, la ville si illuminée et joyeuse, et Negão là-haut, avec le battement du cœur en guise de tambour pour rythmer la fuite... ça faisait rêver de coups de feu et de cris, inévitablement.

Negão connaissait bien le danger de ces attendrissements, et le corps de géant se révoltait pour le sauver. Les muscles réclamaient de l'action, la machine se remettait en branle d'elle-même pour chasser la mélancolie. Il reprenait la marche. La soif aussi se mettait de la partie pour le faire bouger, comme un cheval qui revient à l'étable après un long voyage. Les derniers mètres, presque au galop. Ne rien penser d'autre ; marcher, pour apaiser la soif une fois arrivé dans la cabane de Nega Ofelia.

Il entamait ainsi la descente sur le versant de la favela. Les cabanes apparaissaient de plus en plus nombreuses, endormies. Le son des percussions se faisait plus net. Il distinguait aussi des cuivres et des sifflets. Les lumières se reflétant dans la lagune entouraient la favela comme si elle était un bijou sur un écrin de velours noir.

Nega Ofelia l'accueillit comme s'il n'était jamais parti.

— C'est Zacarias, maman… J'arrive de loin.

— Bien, mon petit, viens auprès de moi. Tu sens la fatigue et la faim.

En se levant péniblement pour allumer la lampe à kérosène, la vieille Noire s'approcha de son filleul pour la salutation rituelle.

— Sarava, Zacarias. On ne se trompe pas. Il y a à peine une heure, Xango est venu me dire bonsoir… Il allait pressé, paré et armé, sans s'arrêter pour causer. Mais je savais qu'avant l'aube un de ses protégés allait venir pour chercher conseil… J'ai quelque chose à manger sur la braise. Viens, mon petit, viens nettoyer cette agonie…

Les manières de la vieille Ofelia étaient si désarmantes, si naturelles, que Negão redevenait petit garçon. C'était bon, chez Nega ; avoir un repas tiède qui l'attendait, toute cette paix évidente, comme s'il était quelqu'un. Pour rien d'autre, simplement pour le petit Zacarias, protégé de Xango. Sarava, maman, ton fils est dans le besoin. Ce n'était pas la peine de le dire, elle le savait ; elle le sentait dans son odeur, sa sueur, son haleine, dans l'air qui était entré avec lui dans la cabane.

Negão mangea et but pendant que la vieille lui préparait une tisane.

— Un petit thé pour te calmer, Zacarias. Pour te faire dormir bien tranquille. Yemanja vient de là, d'en bas, pour te bercer, petit garçon. T'as besoin de te reposer.

Puis, en fumant sa cigarette dans l'ombre, complètement noyé dans la fumée âcre et enivrante qui sortait de la pipe de la vieille, Negão lui raconta son histoire. Sans détails, seulement l'essentiel. Ofelia était capable de comprendre avec peu d'éléments, et même d'aller au delà des mots.

— Xango ne s'est pas trompé. Il savait qu'il fallait se presser, pour te garantir la fuite. Armé et paré juste pour toi, Zacarias. C'est dire combien il t'aime. On t'a pas vu… Alors c'est bien Xango qui a réussi à fermer leur chemin. Il sait qu'ici tu peux te coucher comme sur le lit de Yemanja. Noyé et mangé par les poissons. Personne ne viendra te chercher. Je suis contente que tu aies choisi ma cabane. T'as bien fait. Je vois si peu de gens. Et toujours des plus vieux que moi, qui viennent en visite pour m'appeler. Tandis que toi, Zacarias, tu rafraîchis l'air. Tu es la vie qui continue. C'est bon de savoir que Xango court toujours pour protéger notre peuple, mon fils.

Et, au bout d'un long silence, elle reprit :

— Tu sais, seule la Rosali vient me voir tous les jours. C'est une fille de Yemanja, un peu comme toi. Tout entière de Yemanja… plus douce que toi, plus faite d'eau pour bercer ; sans ton feu de Xango. Tu la connais ?

— Non…

— Tu veux que je l'appelle pour te bercer ? Bien, Zacarias, ce sera comme tu veux.

La vieille n'était plus qu'une voix rauque et effacée, venant de l'au-delà. Une voix apaisante pourtant, pleine de sagesse. Seul le fourneau de sa pipe s'allumait de temps à autre, brillant dans la noirceur. Negão était assis par terre, un peu assoupi ; les battements du cœur avaient cédé la place au son des tambours lointains. La sueur séchée, les paupières lourdes, il respirait la senteur des herbes mélangées au tabac dans une ambiance presque rafraîchissante.

— Tu n'as pas oublié quelque chose dans ton histoire, mon fils ? Xango, tout à l'heure, il allait si vite que j'ai eu l'impression qu'on abusait d'une de ses filles, quelque part… On dirait une rage de jalousie… Mais je me trompe, peut-être… Je me trompe souvent, Zacarias… C'est l'âge… la nostalgie de notre pays, si loin…

— Doralice, ma mère. C'est son nom… Une Blanche… Mais les taches de rouille sur son dos rappellent un peu notre couleur. On dirait un tas de petits Noirs courant sur le sable pour jouer au foot… Ou des étoiles dans le ciel, lorsqu'il fait chaud, quand la lune est rouge.

— Jolie, n'est-ce pas ? Faut pas te gêner, mon nègre. On n'échappe pas à Yemanja lorsqu'on a, comme toi, cette mer triste dans le cœur. Elle aime ses petits garçons, la Janaïna* ; elle soigne ses pêcheurs orphelins… Je n'ai jamais vu la sainte laisser en peine un de ses protégés. Tôt ou tard, il trouve sa petite barque douce, pour le bercer. C'est elle qui l'envoie… Ta Doralice est fille de Yemanja, on ne peut pas se tromper…

— Non, on ne peut pas se tromper…

— Alors, tu vois, Zacarias… ce qui est fait est bon, mon petit. Xango et Yemanja s'en occupent… Toi, tu ne pouvais pas échapper au destin… Ils t'avaient laissé tout seul depuis

---

*   Autre nom pour Yemanja.

longtemps, mais ils ne t'avaient pas abandonné ; te préparaient quelque chose de bon. Ta petite Blanche aux taches de soleil. Maintenant, ton heure est arrivée ; tu pourras leur rendre hommage. Amour et guerre. Tu ne pouvais pas échapper… Amour et vie, ou amour et mort ; ce n'est pas toi qui décides… Mais Yemanja t'a envoyé une fille, et Xango te tient le bras. Sarava, Zacarias !

Et Nega Ofelia continua la conversation dans une langue étrange, saccadée, propre à invoquer les bonnes grâces des protecteurs des Noirs. Les mots devenaient comme une mélodie rythmée et apaisante rappelant à Negão les rituels de macumba. Puis elle retomba dans ses réflexions silencieuses en chantonnant à voix basse un refrain triste aux accents aigus, presque en sifflant comme le vent sur des voiles.

— Dors, Zacarias, mon petit garçon triste. Ici, tu peux dormir ; la nuit te protège. Ne pense à rien. Yemanja s'occupe toujours de ses filles. Ta petite rouquine va finir par te rejoindre… Dors, car Xango a besoin de tes bras reposés. Demain, maman Ofelia va préparer une offrande pour désarmer tes ennemis, pour régler la question avec Xango. Ce sont des esprits du mal, sans doute, puisqu'ils s'en prennent à toi pour insulter Xango, pour faire souffrir ses créatures.

Comme Negão s'était couché, imperceptiblement la vieille Noire changea son chuchotement en berceuse des gens du peuple :

Dors, mon bébé,
la peste va venir…
papa est très loin,
et maman peut pas aider…

17

Les pieds pris dans la vase, s'enfonçant de plus en plus, Negão agite les bras pour essayer d'attraper Doralice. Les vagues sont fortes, et le courant du large entraîne au loin le petit visage aux cheveux roux. Sa voix s'éteint comme un murmure : Negão… Negão… Il essaie d'avancer, de bouger les jambes, mais en vain, paralysé. La boue épaisse le tire vers le bas, gluante, verdâtre et bitumineuse ; ce sont les eaux du Mangue. Doralice a disparu dans l'écume scintillante comme l'étoile du matin. Seule sa voix murmure toujours son appel triste au creux de ses oreilles, se mélangeant à la caresse des vagues qui balancent son corps : Zacarias… Zacarias…

— Zacarias, réveille-toi, pour l'amour de Dieu, Zacarias ! Ils te cherchent. Ils sont là, Zacarias, la police !

D'un saut, il sort ses jambes de la vase et il efface son cauchemar, la bouche amère et le rictus d'effort encore gravé sur les lèvres. La jeune fille le secoue toujours en le sommant de se réveiller.

— C'est moi, Rosali. C'est mère Ofelia qui m'envoie te réveiller. Ils sont en bas. C'est pour t'avertir, Zacarias. Ils sont en bas et ils viennent te chercher…

— Comment ça, ils sont en bas ? Raconte !

Tout en s'efforçant de se réveiller, il écoute le récit de la mulâtresse. Nega Ofelia a veillé très tard, en prières, pour surveiller le sommeil de Negão. Vers les quatre heures, un des fidèles de la macumba est venu l'avertir que la favela était encerclée et que les flics cherchaient sa cabane. C'était très grave. Jamais la police n'aurait eu le culot de venir déranger un personnage comme Nega Ofelia, prêtresse et presque sainte, en pleine nuit. C'était une affaire trop grave, car si quelqu'un avait fait du mal à Ofelia, cela aurait déclenché une émeute dans toute la Rocinha. Ici, Nega Ofelia est plus vénérée que l'archevêque…

Bien vite, un service d'ordre s'est chargé de faire disparaître la vieille Noire. Mais elle a demandé à Rosali de réveiller Negão.

— Ils sont en bas, tout un bataillon de flics ; ils remontent en ordre comme des fourmis, surveillant partout, pleins de méchanceté. Nega Ofelia te salue. Plusieurs obas* sont debout pour invoquer Xango en ton hommage, Zacarias…

La soif lui chauffe la gorge. D'un seul coup, il vide l'écuelle d'eau tiède. Par la fenêtre ouverte, il perçoit l'éclat mouvant de l'étoile du matin. Comme un appel, palpitante d'envie. Dalice…

Automatiquement, ne répondant qu'à l'impulsion de ses muscles, Negão s'empare de ses armes et entrebâille la porte. Rosali s'éclaire alors comme un feu follet dans la lueur grise de l'aube. Toute frêle et déjà femme, avec des yeux d'enfant, la bouche entrouverte, elle dégrafe sa camisole pour lui offrir ses seins bourgeonnants :

— Sarava, mon nègre… sarava, Zacarias…

Saisi par cette vision de rêve, d'un geste tendre et viril à la fois, il lui touche les seins avec la paume de la main. En la regardant dans les yeux, il se penche pour l'embrasser sur le front.

---

*   Prêtres de la macumba.

— Sarava, ma sœur… sarava, ma femme. Prie pour Yemanja et dis-lui que c'est pour Doralice. De la part de Negão. Garde la chaleur de ma main sur tes seins ; c'est pour Xango. Mais dépêche-toi, va-t'en. Tu ne m'as jamais vu. Sarava !

Et Negão plonge dans la nuit grise. L'aube s'annonce encore timidement par une lumière violacée pointant du côté de l'océan. La favela est silencieuse, tranquille, sans aucun présage de malheur. Vendredi matin, la veille du carnaval. Un petit vent frais agite le linge accroché aux cordes et fait courir un frisson sur la peau encore humide de la sueur nocturne. Vers les quatre heures et demie. Le soleil n'apparaîtra pas avant une heure. Negão a tout le temps. Dans sa tête, la stratégie est claire : rebrousser chemin par le haut, par où il est venu la veille, et s'échapper avant qu'on ne sonne l'alarme.

C'est alors que les premiers coups de feu fracassent la nuit, secs comme ceux de la hache sur l'arbre qu'on fend. Negão revient sur ses pas, se tenant à l'ombre de l'entrée. Par la fenêtre ouverte, Yemanja a sauvé Rosali, et maintenant elle lui fait un clin d'œil avec l'étoile du matin. Dalice…

D'un geste calme, il enfile sur son épaule la courroie de la mitraillette chargée, en dégageant le cran de sécurité. Le colt dans la main, il se colle à l'angle du mur et observe les alentours par l'entrebâillement de la porte. Rien. Seul le bruit imperceptible du vent frais entre les lattes de bois de la cabane. Avec des mouvements mesurés et détendus, il s'oriente parmi les objets de Nega Ofelia. De l'eau encore brillante dans une casserole attire son regard. Il boit lentement, en savourant le goût sucré du liquide qui contraste avec l'amer de la nuit. Puis il explore la fenêtre basse débouchant sur un passage étroit entre d'autres cabanes. La fuite de Rosali paraît terminée. Negão pense y aller à son tour. Mais, au fond de l'impasse, déjà les lumières de diverses lampes de poche bougent de façon menaçante, en fermant cette issue. Il ne lui reste que la porte.

Negão s'empare alors d'un morceau de chiffon qu'il agite lentement sur le seuil ; puis il le jette devant la maison. D'autres coups de feu, venant d'en haut cette fois-ci, bien clairs. Il remet le colt dans sa ceinture et, empoignant la mitraillette d'une main, il sort en arrosant les tireurs d'une gerbe saccadée, puis d'une autre, sans regarder dans leur direction. Ses longues jambes sautent et courent en diagonale le long des cabanes. D'autres coups de feu, d'arme automatique, qu'il perçoit bien malgré la course et le changement de chargeur. D'en bas, du côté de la cabane de la vieille, d'en avant, en cercle complet. Il s'arrête dans un coin, accroupi et protégé par la noirceur.

Pas comme un chien… pas moi. Ils me veulent dans la course… pour tirer à distance… pour chasser le fauve. Pas Negão. C'est mauvais, ainsi encerclé. Si je cours, ils tirent… C'est ce qu'ils veulent. Pas de bagarre. Ils veulent être sûrs, pour ne pas s'exposer. Mais pas avec moi. Si j'y laisse ma peau, autant m'amuser un peu. J'en emmène le plus possible avec moi…

Ils l'ont en effet encerclé. Depuis le début de la nuit, la maison de Meriti a été fouillée, Raimunda battue et son jardin piétiné ; mais pas de trace de Negão. Il ne restait que la Rocinha. Ils s'y sont donc rendus vers une heure du matin. Aidés par l'agitation du bal, ils se sont déployés discrètement, en haut et en bas. Les notables de la favela tiennent à Nega Ofelia, et un marché a été conclu : la vieille contre Negão. Les habitants peuvent faire autant de macumba qu'ils veulent, danser, se dévergonder et même voler ; mais pas question de s'associer avec des subversifs. Negão est un communiste, un terroriste ; il mettra la Rocinha à feu et à sang si l'on ne l'arrête pas à temps. Impossible de faire autrement… D'où le geste d'adieu de Rosali, pour qu'il s'en aille vers la mort avec l'image d'un corps de femme dans la tête.

Maintenant, il faut l'abattre. Effrayé, et l'atavisme de sa race aidant, il va se rendre à genoux ; c'est ce que pensent les policiers. Sinon, on lui tirera dessus comme sur un poulet qui court, affolé. Ce mépris de l'ennemi n'est pas, hélas, un manque d'expérience. Sauf que chaque homme est différent. Certains préfèrent fuir devant la mort, alors que d'autres lui font face. Il est très difficile de savoir de quelle catégorie l'homme fait partie, de prévoir son geste. Il faudrait le connaître intimement, depuis son enfance.

Negão n'est pas une nature téméraire. Mais lorsqu'un fauve se sent encerclé, il ne court pas. Il attend, il prend parfois le temps de s'amuser un peu et de reconsidérer la situation. Negão a d'ailleurs toujours été un homme calme, capable de sourire dans les pires impasses. La vieille a raison : Yemanja dans un corps de Xango.

Les trois policiers avancent vers lui sans le voir, intrigués par le silence, en se faisant des signes, mais sans essayer de se cacher. Ils portent des mitraillettes légères. L'un d'eux s'arrête pour uriner. Les autres regardent dans les ruelles étroites, certains que la proie s'est échappée. Ils continuent ensuite à avancer, de front, comme dans une promenade. Soudain, au fond de l'impasse, sans pouvoir reculer, ils distinguent l'homme armé. Plus le temps de réagir. Ses dents blanches occupent toute la place, dans un sourire colossal. D'un doigt expert, il tire trois balles ; seulement trois. Et les trois corps tombent vers l'avant, fauchés au ventre, avec le même regard étonné dans un rictus.

Negão les enjambe en ramassant une mitraillette et se perd entre les cabanes. Les sbires affluent de toutes parts, confiants dans leur succès, pour voir le terroriste abattu. Deux autres sont touchés dans le dos et tombent à leur tour en vomissant de l'écume rouge, sans rien comprendre. Les maisons se réveillent, les chiens hurlent encore plus fort, les cris des flics résonnent, rauques et nerveux, parmi les coups de feu tirés au hasard.

Un peu plus bas, un groupe de policiers se réunit pour faire le guet en fermant la sortie. L'amas serré de masures empêche la fuite vers les côtés. La proie devra passer par là. Il suffit d'attendre.

Mais la proie ne veut pas encore passer. C'est elle qui chasse maintenant parmi le gibier abondant. Ses tirs précis se succèdent sans que l'homme se fasse voir. D'autres flics tombent, cette fois en gémissant comme des canards qu'on égorge. Les autres s'éparpillent tels des oiseaux effrayés et tirent au hasard des rafales, se blessant et dispersant la meute.

Negão se dirige de nouveau vers le haut, comme s'il participait aussi à la battue, de son pas marin, sans se cacher, en remontant les sentiers la mitraillette sous le bras. Il fait un signe de la main aux hommes armés, en leur indiquant l'impasse qu'ils croyaient vide. Ceux-ci se protègent d'un ennemi invisible, se retournent en suivant sa consigne pour cribler de balles les cabanes de ce côté. Et ils tombent un à un, non sans avoir blessé d'autres policiers qui leur faisaient face. La confusion est générale, la meute se mord elle-même au milieu des cris et des imprécations pendant que la proie s'éclipse.

Toujours en remontant, Negão profite du brouhaha pour s'approcher d'un autre petit détachement. La lueur de leurs cigarettes est une cible parfaite. D'une rafale, il les fauche encore à la hauteur de la poitrine pour disparaître de nouveau. Ceux qui montent sont reçus à leur tour par les balles de ceux qui sont en haut, dans un carnage d'affolement, au rythme des gerbes de plomb. C'est le désordre et la débandade :

— Arrêtez de tirer ! C'est nous ! L'homme est pas là ! Vous tirez sur nous ! À moi ! Des ambulances ! Ne tirez pas ! Cessez le feu !

D'autres coups de feu répondent, nerveux, ici et là dans la Rocinha. Les flics s'éparpillent en proie à la panique, chacun visant ce maudit Negão omniprésent. Les gémissements des blessés se mêlent aux cris hystériques des femmes, aux aboiements des chiens et aux chants des coqs annonçant l'aube. Les gens sortent, effrayés. Ils s'emboutissent et ferment les chemins. Ceux qui courent sont abattus comme des lièvres. La Rocinha s'anime comme pour un incendie, mais seul l'horizon sur la mer a l'air de flamber, au delà de Copacabana.

La guérilla se poursuit, sanglante, avec les balles arrivant dans un sifflement d'endroits d'où l'on ne les attendait pas. Les chefs descendent, les gradés n'osent plus monter. Il faudra faire venir des renforts : ce sont des brigades entières, des groupes de révolutionnaires armés jusqu'aux dents qu'il faut combattre. L'armée est mise en état d'alerte, et les policiers multiplient les arrestations. Si ça continue, il va falloir interdire le carnaval ! Che Guevara est terré dans la Rocinha, avec un bataillon de Cubains !

Negão ne cherche pas à fuir, il n'y pense même plus. Une lassitude envahit ses muscles, et l'amertume dans la bouche se fait nausée. Il se déplace désormais sans le soin de tout à l'heure, tirant parce qu'il faut tirer sur les hommes armés. Mais sans intention, sans le plaisir du travail bien fait, machinalement. La lumière du matin devient plus nette et les lueurs d'un doré sale teintent déjà les toits de métal rouillé.

Il va encore faire très chaud… Humide aussi, avec ce ciel gris. Pourvu qu'il ne pleuve pas pendant le carnaval… J'ai encore le pistolet rempli ; une ou deux balles dans la mitraillette. L'odeur du sang, ça donne soif. Pas moyen de contourner. Si je reste ici, accroupi, j'ai peut-être le temps de voir le soleil se lever… Depuis que je suis petit, j'aime voir le soleil se lever… le regarder en face sans me brûler la rétine. Toutes sortes de couleurs étranges qui restent longtemps quand on ferme les yeux. Comme un feu d'artifice…

Negão se lève alors en sortant de sa cachette pour mieux distinguer l'horizon qui tombe à pic au delà de la colline. Les coups de feu éclatent, le projetant en arrière contre les planches d'une cabane. Roulé en boule, il peut encore viser avec le colt. Son assaillant tombe à son tour en spirale. La main de Negão lâche le pistolet et se crispe sur son ventre pour empoigner le tourbillon de sang qui palpite comme une source : rouge et brillant comme l'aube, mouillé comme les vagues de la mer et chaud de brouillard comme un jour d'été... Ses yeux prennent un aspect vitreux et se fixent en parallèle sur un point à l'infini. Sur ses lèvres, un bouquet d'écume rose bourgeonne et scintille...

Tu m'as donné, petite peste... pute de malheur... ma rouquine... Dalice...

Le soleil se lève enfin. Un policier accourt pour annoncer la nouvelle aux gradés qui sirotent du café dans un bar transformé en quartier général des opérations.

— La bête est morte ! Là-haut. Venez voir. C'est le sergent Konder et son groupe qui l'ont encerclé. Se sont battus longtemps, mais l'ont eu.

Et devant l'hésitation des regards, il ajoute :

— Il est déjà rigide, même qu'il pue. Il est vraiment mort. Vous pouvez venir.

Plus tard, le soleil déjà haut et joyeux, les gens ont pu voir le cortège des policiers qui tiraient le corps piétiné et criblé de balles vers l'entrée de la favela. Les rares « saravas » muets dans quelques têtes contrastaient avec le soulagement satisfait de la plupart des habitants. On allait pouvoir enfin se consacrer au carnaval.

18

Que celui qui croit avoir plus de couilles que la petite lui jette la première pierre.

Negão était plein d'amour en voyant se lever le soleil dans les pulsations de son sang. Amour et haine, il est vrai ; Yemanja et Xango. Mais il est mort au combat, et ça confond parfois les sentiments. Quant à moi, je suis certain que Doralice ne l'a pas trahi. Sa bouche a peut-être parlé, mais la conscience est si fragile et la douleur si vaste… Désormais, comme l'a dit le poète, il n'y aurait d'extension plus grande que sa blessure. Doralice était devenue tout entière souffrance, béance de son homme, gouffre amer. Coupée du monde des vivants, la petite fille existait dans la stupeur.

C'est ainsi que je l'ai rencontrée pour la première fois, deux semaines après le carnaval, dans le réduit de derrière chez Quinina. Le carnaval avait effacé les traces des événements ; les flics avaient suspendu les filatures et tout était rentré dans l'ordre. Dans les milieux de la police politique, on évitait même de commenter la chose, de peur que les subversifs n'en fassent une bannière. Ou, pire encore, qu'ils n'en tirent une leçon de courage et de guérilla.

Sirigaito m'avait envoyé la voir dès sa sortie de l'hôpital. Ses blessures encore ouvertes, elle était toute maigre et violacée, muette et hébétée. Avec son congé de l'hôpital, et le diagnostic de viol collectif pendant le carnaval, l'affaire était classée. Doralice avait ainsi été mise à la porte par les médecins, pour qu'elle aille achever de mourir discrètement chez Quinina. La tenancière l'avait recueillie par pitié, et ce même si Greta Garbo s'y opposait, en disant qu'il ne fallait pas contrarier les autorités policières.

— Qu'elle crève où vous voulez. Mais qu'elle se taise ! Un seul mot de toute l'affaire et c'est l'outrage au pouvoir militaire ! On ferme le bordel et on embarque les putes ! Quant à toi, Quinina, on te tient pour personnellement responsable !

Ces paroles d'un subalterne du colonel Ardovino ne laissaient subsister aucun doute, et le militaire n'avait pas l'air de s'amuser. Il avait même refusé les faveurs que la maison réserve pour ces occasions.

Quinina avait confiné Doralice au réduit qui se trouvait en arrière de la maison, là où l'on amoncelait le linge sale, et elle tâchait de la soigner de son mieux pour que la petite meure comme une chrétienne. Les autres filles aussi l'entouraient d'attention. Même Greta Garbo avait été ramolli en voyant l'état du corps de la fillette. On se taisait, les clients venaient moins nombreux, la maison paraissait en deuil. De toute façon, le mouvement au Mangue diminue sensiblement pendant le Carême ; il y a des filles qui en profitent pour aller rendre visite à leurs familles, histoire de se reposer des quatre jours de cavalcade effrénée.

Lors de mes premières visites, elle était encore trop faible pour parler, le regard dans le vide et le corps immobilisé par les blessures. Je lui apportais quelques cadeaux de la part des amis, des souvenirs, dont une vieille photo de Negão qu'elle a particulièrement aimée. Parfois, je restais auprès d'elle sans rien dire, juste pour qu'elle sente une présence humaine. Je lui faisais aussi un peu de lecture, mais je ne peux pas dire si elle écoutait ou simplement rêvait. Non pas parce qu'elle était peu instruite, ça ne compte pas beaucoup lorsque les gens aiment lire, mais parce qu'elle n'était plus tout à fait dans ce monde-ci.

À la même époque, je rendais aussi visite à Raimunda. Doralice paraissait contente d'avoir des nouvelles de sa tante. Il est vrai que je maquillais un peu les choses, par ci par là, pour ne pas blesser davantage la malade. En fait, Raimunda allait très mal. Elle avait voulu se défendre lors de l'invasion de la police. Les flics l'avaient battue à coups de crosse. Un bras et des côtes cassés, le visage tuméfié et la bouche édentée, elle se remettait à peine. Le jardin avait été pratiquement rasé sous les bottes des militaires, la maison saccagée, les souvenirs de son Nicolau emportés comme pièces à conviction. Pire encore, la police avait aussi visité la résidence du commandeur portugais, sur la plage de Botafogo. L'épouse légitime avait été dûment interrogée sur les fréquentations du vieillard : scandale, concubinage, dépravation et protection de malfaiteurs. Rien n'avait été épargné. Puis, le dimanche, en plein carnaval, le vieux commandeur, désespéré de honte, avait fait une embolie cérébrale. Il était tombé dans un coma d'où il ne sortirait peut-être plus. La famille menaçait Raimunda de représailles et de poursuites au civil pour récupérer ce qu'elle avait soutiré à son protecteur en profitant de sa sénilité.

Jacinto avait disparu. Personne ne pouvait donner de ses nouvelles. Les membres de sa famille étaient très inquiets. Après avoir attendu que retombent les excitations du carnaval, et toujours sans nouvelles, ils avaient organisé un service funèbre symbolique en toute discrétion où seuls les plus intimes avaient été invités. Des contacts dans la police leur confirmaient que son corps avait été déposé dans une fosse commune avec les indigents non réclamés après le carnaval. On leur suggérait de se taire pour éviter un sort encore pire au restant de la famille.

Quant à Sirigaito et à Pindoca, ils avaient eu le temps de se réfugier dans la clandestinité et, bien protégés par des amis et des amateurs de musique, ils attendaient dans l'ombre la fin de la tempête. Heureusement que les associés du maître gardaient son salon de barbier, un véritable monument national dans la Lapa ; et puis, vu le volume de Maria de Lourdes, sa maîtresse, il ne courait pas le risque de devenir cocu. Pour l'avoir rencontré à plusieurs reprises durant cette période, je peux assurer que Sirigaito savait se débrouiller très bien. Seule la perte de son ami Negão lui était pénible et, curieusement, il ne l'utilisait pas pour philosopher, souffrant en silence comme s'il avait perdu un fils. Pindoca était lui aussi célibataire, sans attaches, et il avait de bons copains assez serviables pour faire rouler son taxi pendant sa cavale.

Raimunda restait fière. Elle savait que Negão et Doralice n'étaient pour rien dans tout ce malheur. Elle plaignait le sort de sa nièce, à qui elle envoyait d'ailleurs un peu d'argent et des petits cadeaux. En fréquentant ainsi Raimunda, j'ai appris beaucoup sur l'histoire de Doralice, depuis son enfance. Il y avait aussi les cahiers d'écolier de la jeune fille, remplis d'une écriture d'enfant, tous très soignés, et qui contenaient un récit de sa vie. Dans ces écrits naïfs, Doralice embellissait les faits, évidemment, comme tout écrivain. Et elle a consenti à commenter quelques passages dans nos séances de lecture.

C'est ainsi que, en recoupant tous les détails, en les agençant en récit, en en dégageant la morale, en inventant parfois pour combler les lacunes et en les embellissant à mon tour, j'ai pu en savoir un peu plus sur la petite rouquine.

19

Son histoire commence à l'époque où elle n'était pas encore Doralice. C'était Maria da Graça Muller, mais plus généralement Gracinha. Muller, son père, chauffeur de camion, était mort dans un accident ; du moins c'est ce qu'on disait. La jeune veuve, Erminia, sœur de Raimunda, était restée seule avec ses deux enfants. Je ne sais rien du frère de Doralice, qui serait parti à son tour de bonne heure et qu'on n'a plus revu.

Erminia était belle et pleine de fougue — c'est un trait familial. Il se pourrait qu'elle ait eu une aventure avec monsieur Levy, un commerçant de Cachoeiro*. Celui-ci, un homme dans la cinquantaine, jovial et bon parleur, ne cachait pas son intérêt pour les femmes. Il avait été marié, mais c'était là une histoire confuse, dont on ne connaissait pas les détails. Levy avait peut-être même eu plusieurs femmes à la fois, comme c'était l'habitude dans le pays, et malgré les racontars personne n'en savait rien. D'ailleurs, en dépit de sa réputation de bellâtre, il paraissait aussi catholique que les autres habitants de la ville, et très concerné par les affaires de la paroisse. Un excellent citoyen, très respecté. Les femmes aimaient bien aller dans son magasin pour acheter toutes sortes de fringues et de tissus ; et si quelques-unes s'endettaient, jamais monsieur Levy n'avait

---

* Ville de l'État d'Espírito Santo, voisin de Rio de Janeiro.

dérangé leurs maris en leur réclamant de l'argent. Il n'était pas difficile pour ces choses, et c'est pour cette raison que sa boutique prospérait.

Il avait pris la veuve Erminia sous sa protection, comme commis, cuisinière et femme à tout faire. Les autres dames de la ville étaient jalouses, évidemment, mais, comme leurs maris étaient encore vivants, elles ne pouvaient pas le dire ouvertement. Monsieur Levy ne se considérait pas comme marié à Erminia, et celle-ci ne se plaignait pas de l'arrangement. Une bonne affaire somme toute, qui permit à sa petite fille de jouir d'un confort certain, d'aller à l'école, et même de finir son cours primaire. D'où sa belle écriture. Levy n'était pas méchant, au contraire, et l'on peut dire qu'il gâta Gracinha avec des bonbons et des vêtements qu'Erminia n'aurait pas pu lui offrir.

Ils vivaient bien, tous les trois, et la ville avait fini par s'habituer à leur concubinage. Erminia paraissait satisfaite. Lorsque sa sœur lui racontait des merveilles sur Rio de Janeiro, elle se contentait d'en rêver. À sa manière directe, et pour la convaincre, Raimunda insistait:

— Tant qu'à faire la pute, autant que ce soit pour de l'argent; et sans devoir jouer à la boniche, ma pauvre Erminia. Pense à ta fille.

Raimunda voulait seulement aider, et elle s'ennuyait de sa sœur. D'ailleurs, elle ne détestait pas Levy; celui-ci se montrait toujours aimable et courtois en sa présence. Il avait même promis de leur acheter une maison, si jamais les deux sœurs voulaient vivre ensemble et travailler pour lui. Mais Raimunda était bien établie à Rio, et ses visites se faisaient de plus en plus rares.

Gracinha grandissait. Dès l'âge de douze ans, elle commença à montrer les signes d'une féminité naissante. Mais pas du genre de celle de sa mère ou de sa tante. Non, elle était plutôt élancée, la peau rose et tachetée, et les cheveux roux comme le vieux Muller. Ses hanches étroites lui donnaient encore l'allure d'un garçon, tandis que le visage s'adoucissait pour prendre des traits de jeune fille. Très espiègle, elle s'échappait pour jouer dans les bois en compagnie des autres enfants, nager dans la rivière ou chaparder dans les terrains mal gardés. Douce et romantique, timide envers les choses du sexe, elle tomba tout de même amoureuse cet été-là. C'était un beau garçon, fils d'un ingénieur, venu passer les vacances chez des parents. Le coup de foudre. Gracinha lui montrait tous les recoins du quartier, ils allaient se baigner avec d'autres jeunes gens, puis ils se voyaient au cinéma. Et tout le reste. Une jolie histoire d'enfants, sans aucun avenir, puisque le garçon ne reviendrait peut-être pas et qu'il n'allait pas s'enticher d'une provinciale sans instruction. L'important, c'est qu'ils s'aimaient ; beaucoup, et d'une manière très mignonne.

Or, un soir, après avoir fermé le magasin, Levy redescendit chercher quelque chose. Discrètement, sans allumer la lumière, à pas feutrés. En savait-il plus ? Voulait-il surprendre des voleurs ? Ou était-ce son instinct de commerçant qui lui faisait sentir que la petite était mûre ? Il surprit alors Gracinha et son amoureux dans l'arrière-boutique, couchés sur les rouleaux de tissus, tout innocemment, le garçon en train de baiser et la fillette en train de soupirer. Une affaire de rien, il suffisait de ne pas regarder. Un truc d'enfants, dans les cuisses serrées, comme il se devait à cette époque, sans toucher à la virginité. Pas pour monsieur Levy ! Son honneur était souillé. Il menaçait le scandale, le meurtre s'il le fallait !

Pendant que l'amoureux s'échappait en traînant le pantalon, et en se promettant de ne plus jamais toucher à une vierge, Levy tenait d'une main sûre le corps de la fillette. Il l'examina minutieusement à la recherche du *corpus delicti*, la gardant déshabillée pendant qu'elle pleurait en implorant son silence.

Elle ferait tout ce qu'il voudrait, tout; mais il ne fallait pas le dire aux autres, surtout pas à sa mère. Elle se souvenait bien de la phrase qu'Erminia répétait souvent depuis qu'elle avait eu ses premières règles: « Personne n'achète d'avocat déjà palpé. »

Tout ce qu'il voudrait.

Il ne voulait rien d'autre que la preuve de la défloration. Et à force d'être examinée, caressée, menacée, Gracinha ferma enfin les yeux. Mais, mon Dieu, que ça faisait mal! Monsieur Levy ne lui épargna rien. D'abord, il finit le travail entamé par l'amoureux, mais à sa façon, pour qu'elle sache ce qu'est un homme, un vrai. Puis, dans le même élan, il la retourna et il la déflora, histoire de conclure l'affaire et de la garder à la maison.

Erminia roua sa fille de coups, mais elle ne fit pas de scandale. Levy était d'avis qu'il fallait garder la honte dans la famille, car jamais le fils de l'ingénieur n'avouerait son méfait, même si Gracinha confirmait tout à chaque nouvelle taloche.

— Je t'ai pris sur le fait, n'est-ce pas? Raconte à ta mère!

La petite confirmait.

— Dans l'arrière-boutique!

La petite confirmait.

— Tu l'avais déjà fait auparavant, n'est-ce pas? Ce n'était pas la première fois que tu ouvrais tes sales jambes, Maria da Graça. Avoue!

La petite avouait. De toute façon, ça lui faisait si mal de partout, sa honte était si profonde qu'elle avait envie de mourir.

— On la garde, ta fille. Qu'est-ce que tu penses? Moi aussi, je l'aime. On va pas le crier partout. Avec le temps, ça va s'arranger. Dans le fond, Erminia, ce sont là des histoires d'enfant. On ne va pas gâcher son avenir pour si peu. Soyons un peu modernes, Erminia...

Gracinha n'eut plus ses règles, mais n'était-ce pas une bonne chose? Au moins, elle ne deviendrait pas enceinte, et ça lui couperait à la racine cette fringale d'homme, porteuse de malheur. Levy était d'avis que cela protégerait la petite, et lui-même se mit à la protéger comme le plus jaloux des pères. Finies les sorties, de bonne heure à la maison, plus d'école, le cinéma seulement en famille.

— Je ne suis pas rigide, Erminia ! disait-il. C'est pour son bien. Dans son état, tu veux qu'elle aille rencontrer des hommes ? Pour être enceinte ? Ou tu veux qu'elle aille rejoindre ta sœur chez les putes ? Allons donc, femme, pense un peu à ta fille ! Il faut la protéger. Au moins jusqu'à seize ans. Après, Dieu seul sait ce qui adviendra de sa vie… Mais nous aurons au moins fait notre part.

Un homme merveilleux, ce brave monsieur Levy. Et quel sens des convenances, quel savoir-faire ! Erminia ne savait pas comment le remercier. Pour faire sa part, elle déployait tous ses câlins dans le lit ; car, à cause de tous ces soucis, monsieur Levy perdait de son légendaire appétit.

Pendant ce temps, il tenait Gracinha bien en laisse, contre le mur. L'enfant ne savait pas quoi faire d'autre, sinon céder. Il pouvait la détruire s'il le voulait, tout raconter, l'envoyer elle et sa mère chez les putes. Ou pire encore.

— Tu veux que ça se sache ? Que je mette ta mère au courant de tout, de ce que tu te laisses faire, tu veux ? Alors, fais pas la farouche, l'ingrate. Je te garde comme ma fille malgré ce que tu sais. Ne fais donc pas d'histoires.

Et les examens devinrent une habitude. Gracinha fermait les yeux et se laissait prendre, même si ça faisait mal, même s'il inventait parfois des trucs dégoûtants. Puis, pour sécher ses larmes, pour apaiser sa honte, il lui donnait des cadeaux, il l'habillait, avec un soin particulier pour les sous-vêtements.

Un père exemplaire. Et si soucieux de sa fille, si amoureux qu'il se laissait manipuler par la petite salope, pensait Erminia.

En effet, avec le temps Gracinha commença à comprendre son pouvoir sur le vieux. Il se montrait chaque fois plus collant, voulant à tout instant l'embrasser sur la bouche, sur son sexe, partout, le dégueulasse. Les premières douleurs atténuées, elle se laissait faire mécaniquement, comme une poupée, en pensant à des choses d'enfant. Puis elle s'amusa à l'observer, pour voir combien il avait besoin d'elle, pour l'attirer s'il le fallait et ensuite fuir. Le bouder, ne pas se laver, menacer de tout dire au curé, de fuir avec un autre homme. Levy se comportait alors comme un fou.

Un an à peine et déjà Gracinha avait grandi à ses propres yeux. Même sa mère désormais l'écœurait. La boutique était devenue une cage ; Levy, une loque. S'il la battait, c'était pour implorer ensuite son pardon, pour promettre des vêtements, n'importe quoi pour qu'elle se laisse faire, pour qu'elle y mette du sien. Il lui avait d'ailleurs appris à participer. Maintenant il en devenait dépendant. Si elle boudait, il n'arrivait plus à jouir, il déprimait. Mais si elle y mettait du sien, alors le vieux bouc rajeunissait et la comblait ensuite de cadeaux. Un truc formidable, mais lassant à la longue car le vieux devenait de plus en plus visqueux, comme une bave.

Erminia ne soupçonnait rien ou bien elle le cachait comme il faut. Ses crises de jalousie étaient plus brèves, son empressement au lit moins anxieux. Peut-être dans le fond planifiait-elle de marier sa fille à monsieur Levy ? Raimunda, quant à elle, était certaine que sa sœur jouait les saintes nitouches.

Vers l'âge de quatorze ans, ayant maintenant le vieux sous son contrôle et jouissant d'un peu plus d'espace, Gracinha tomba de nouveau amoureuse. Un garçon comme il faut cette fois, chauffeur de camion lui aussi, comme le père Muller. Ce ne fut pas long, elle lui raconta toute l'histoire. Puis, encouragé par les supplications de la fillette, le jeune chauffeur l'emmena chez lui, loin de Levy et d'Erminia. Ni vu ni connu.

Ce fut le grand amour pendant quelques semaines ; de ceux qui finissent en mariage si d'autres gens ne s'y opposent pas. La maman du chauffeur était cependant jalouse de cette jolie maigrichonne venue de nulle part. L'amoureux voyageait beaucoup et, pendant ce temps, Gracinha servait de bonne à tout faire pour la future belle-mère. Il voyageait d'ailleurs de plus en plus fréquemment, car les scènes, les protestations contre l'ingratitude et les « personne ne s'occupe de sa vieille mère » minaient ses sentiments les plus tendres envers sa fiancée. Il faut dire que la petite Maria da Graça était devenue un tantinet mélancolique elle aussi, en proie à l'ennui, délaissant la conversation pour se plonger dans les livres ou dans les rêveries. Elle arrivait même à s'inventer des histoires sans queue ni tête et pleurait ou riait toute seule comme une vraie sotte. En outre, sans savoir pourquoi, elle n'avait plus envie d'y mettre du sien lorsqu'ils faisaient l'amour. La tête pleine d'images, elle pensait à autre chose pendant que son amoureux la chevauchait.

Un beau jour, durant une promenade en camion, le chauffeur la largua à Vitória do Espírito Santo, sans autre explication qu'un « attends ici, je reviens dans une heure ».

Les bordels de Vitória sont très jolis, sur une petite colline, tous illuminés de lampes multicolores et de banderoles. Ils ont l'air d'être toujours en fête. Il y avait la danse chaque soir et les clients étaient gentils, car les matrones veillaient à la qualité pour protéger leurs fillettes. Et puis Gracinha avait beaucoup de copines de son âge pour bavarder, toutes très joviales, même les plus vieilles. Comme une bande d'écolières en vacances, loin des parents. Elles accueillirent la nouvelle pensionnaire avec joie, sans jalousie, la maquillèrent et l'habillèrent même, puisque le chauffeur l'avait abandonnée sans rien d'autre que la robe qu'elle portait.

Gracinha avait près de quinze ans. Désormais elle mettait du sien pour de l'argent et pour le plaisir du théâtre, sans faire la boniche. Raimunda avait raison. C'est à cette époque qu'elle devint Doralice. Pourquoi Doralice ? Comme ça, pour jouer, sans rien devoir expliquer, à cause d'une chanson qui commençait ainsi :

Doralice…
qui est-ce qui t'a dit,
qu'aimer, c'est sottise,
une amère illusion ?

Un peu immoral, mais vrai. En devenant Doralice, la petite Maria da Graça put enfin s'amuser comme une enfant, sans coup ni menace, sans peur de la catastrophe. En peu de temps, et bien aidée par ses consœurs, elle put compter sur une clientèle assidue de vieux boucs très respectueux cette fois-ci qui lui offraient des cadeaux, lui témoignaient beaucoup de considération et même lui faisaient des propositions de mariage. Tous pères de famille ; commerçants et hommes de bien, pas des moindres. Toutes les filles avaient leurs admirateurs, leurs amoureux, chacune dans son genre, mais sous la protection de la maison. S'il arrivait par hasard qu'une d'elles reçoive une raclée, c'était parce qu'elle était pauvre, pas parce que c'était une pute. Leur condition était d'ailleurs bien plus enviable que celle de la plupart des autres pauvres. C'est ainsi, on n'y peut rien.

Doralice ne saigna jamais plus, comme elle le disait encore dans son langage d'enfant. Ça s'était bloqué avec le premier amour et les soins de monsieur Levy. Elle grandit, mais son corps resta fluet ; garçonne et petite fille, elle se gardait peut-être pour quelqu'un qui en vaille la peine. Elle demeura rêveuse et timide, de plus en plus gourmande d'histoires et de photoromans. Mais, au contraire de la plupart des autres, elle était capable de lire des livres sans images. Sa belle écriture en particulier lui valait du succès. Souvent des clients la choisissaient non pas pour le lit, mais pour qu'elle leur rédige des lettres d'amour en cachette. Car elle savait inventer de ces phrases, presque de la poésie, et ses lettres étaient bien efficaces. C'était une fillette si discrète qu'on pouvait lui confier n'importe quel secret. Certains vieux venaient seulement pour lui parler de leurs problèmes conjugaux ou pour demander conseil sur la façon de calmer leurs propres filles lorsque celles-ci devenaient trop nerveuses à cause des chatouilles du bas du corps. D'autres clients venaient pour elle-même, naturellement, et parfois très amoureux. Ils rêvaient qu'elle était vierge, qu'ils la défloraient pour l'épouser ou qu'elle était leur fille et qu'ils perdaient le contrôle comme ça, sans s'en rendre compte, dans un moment d'égarement. Toutes sortes de trucs d'hommes, un peu infantiles à ses yeux ; mais elle connaissait les garçons. Tous des romantiques et des timides, et souvent bien naïfs.

Si elle pensait sortir de là ? Pas du tout. Parfois elle avait des amourettes, voire des passions fulgurantes. Mais elle se rendait toujours compte que le meilleur se passait dans sa propre tête, comme pour les livres, que le quotidien était souvent décevant. Il y avait des moments difficiles, comme dans tous les boulots, particulièrement lorsque le client n'arrivait pas à se satisfaire et qu'il s'en prenait à son corps. Il suffisait d'en parler avec les autres filles. Alors, les tenancières veillaient à écarter les plus tarés. Pour préserver la réputation de l'établissement.

Elle resta ainsi quelques années à Vitória do Espírito Santo. Puis Raimunda vint la chercher pour l'emmener à Rio, pour lui faire connaître la grande ville. C'est à ce moment qu'elle rencontra Negão.

Quant à sa mère, Levy ne la mit pas à la porte. Pire encore, il la garda comme bonne. Sauf qu'il fallait désormais qu'Erminia y mette du sien, qu'elle joue la Gracinha, car le vieux commerçant ne pouvait pas oublier sa fillette chérie. Et il se fâchait, il débandait, il devenait capricieux si la pauvre femme n'arrivait pas à lui faire sentir qu'il était un homme, un vrai. Doralice ne les revit plus. Raimunda lui donnait parfois des nouvelles, mais sans entrer dans le détail. En fait, Erminia maudissait sa fille, l'ingrate, la salope, la sale pute qui n'envoyait jamais de nouvelles ni d'argent, et qui continuait à empoisonner sa vie. À force de jouer la Gracinha, Erminia devint coquette, prétentieuse et amère à la fois; Levy la tenait en laisse courte cependant, car il avait goûté à la fourberie des femmes.

20

Contre toutes les prévisions, Doralice ne mourait pas. Son corps témoignait d'une vigueur inusitée malgré sa pâleur et la profondeur de ses blessures. Elle paraissait parfois abandonner la lutte, céder à l'inanition, mais son corps s'obstinait à guérir. Au début, elle mangeait à peine, maigrissant chaque jour. Elle avait des allures de momie, avec les os perçant la peau transparente du visage, des mains, des hanches. Ses yeux devenaient un éclat de charbon ardent au fond des orbites violacées. Sauf qu'ils ne regardaient rien de précis, se fixant quelque part à l'infini, au delà de la vie. Avec le temps, ils devenaient en outre de plus en plus pénétrants, comme s'ils exprimaient une colère énorme malgré le corps débilité et le visage d'ascète.

Grâce aux bons soins de Quinina, transformée en infirmière pour la circonstance, Doralice avalait les soupes qu'on lui portait à la bouche, automatiquement, sans s'en rendre compte. Et son corps profitait d'une curieuse façon, avide, regagnant des couleurs et se rétablissant hâtivement, comme s'il répugnait à mourir. Seul son visage impassible ne changeait pas, s'abandonnant à la stupeur et à l'oubli.

Sa voix aussi s'affermissait. Ses bribes de récit devenaient plus cohérentes, ses souvenirs plus clairs et orientés. Elle répondait à mes questions d'une façon presque sympathique. Chaque fois, j'avais la nette impression qu'elle attendait nos entretiens avec impatience. Son regard s'adoucissait lorsqu'il se posait sur moi. Nos divagations lui procuraient un certain plaisir qui diminuait l'intensité de la haine dans ses yeux. Parfois, je la trouvais en présence d'autres filles, les mains dans les mains, en conversations chuchotées. Doralice devenait une sorte de confidente pour les autres. Une aura de respect entourait de plus en plus la chambrette où avait lieu sa convalescence. Elle était continuellement entourée, soignée, protégée.

Trois semaines à peine après le carnaval, elle marchait déjà dans la maison pour s'occuper de sa personne, s'habiller et même bavarder avec les clients. Un véritable miracle. Le visage demeurait fermé, certes, avec un je ne sais quoi d'étrange frôlant la méchanceté. Mais il n'y avait pas de haine dans ses propos. Au contraire, elle n'avait pas l'air de se souvenir de son martyre ni des humiliations subies. Curieusement, elle ne prononçait jamais le nom de Negão. Elle parlait de choses sans importance, révélant une bonne mémoire des faits antérieurs et de son enfance. Seuls les événements récents paraissaient enfouis dans un abîme secret. Comme si son corps se défendait de la sorte pour pouvoir guérir.

Un beau jour, à l'approche de Pâques, la voilà qui brisa définitivement son carême. Elle s'habilla, se maquilla et, malgré son corps encore fragile, elle demanda à Quinina si elle pouvait aider Greta Garbo à la cuisine. Tout le monde était très content de ce retour à la vie et même le travesti s'étonna de cette aide et de la bonne humeur de Doralice. À l'heure des repas, elle partagea de nouveau la table commune. Sa voix d'enfant commença à perdre la raucité des jours de souffrance. Elle paraissait s'attacher à Greta Garbo, cherchant les occasions d'être seule avec lui, pour l'aider ou seulement pour converser.

Le dimanche des Rameaux, elle accompagna les autres filles à la messe dans l'église Sainte-Madeleine, dite sainte Madeleine des putes. Fragile encore, mais contente, elle se confessa. Au moment de la communion, ses cheveux brillaient d'un éclat métallique sous le voile blanc. Le seul voile blanc dans toute l'église. Puis, au lieu de retourner à son siège, encore en pleine cérémonie, elle alla s'agenouiller devant l'image de saint Benoît le nègre, celui qui tient le petit Jésus rouquin dans ses bras d'ébène. Elle alluma un cierge et elle resta là, en contrition pendant que toutes les filles l'observaient dans un silence ému. Plusieurs versaient des larmes discrètes à la vue de la fillette menue sous le voile de vierge. Son histoire avait transpiré par bribes, un peu partout, et cette apparition publique avait le caractère d'une révélation.

Je la vis pour la dernière fois le lendemain. Elle était toute souriante et particulièrement bavarde. Je ne perçus rien alors de la décision qui était pourtant bien claire dans son esprit. Son plan aussi était parfait. J'étais content lorsqu'elle me confia les cahiers d'écolier contenant son histoire. Je ne fus même pas étonné quand, me donnant son voile blanc, elle me demanda de le porter à Nega Ofelia. C'est que les putes sont si émotives, si croyantes que je pensais que Doralice avait simplement rompu avec son passé, décidée à recommencer sa vie autrement.

Le Vendredi saint, la police vint la chercher. Greta Garbo l'avait dénoncée. Je ne sais rien au juste, mais il semble que Doralice ait fait des menaces. Ils l'emmenèrent malgré les pleurs et les supplications de Quinina. Doralice ne résista pas, bien au contraire; souriante, elle eut encore le temps de dire adieu aux filles qui entouraient l'auto de police.

— On aurait dit une fiancée qu'on vient chercher pour le mariage, déclara Justinha Chochota le dimanche de Pâques devant l'image de saint Benoît littéralement noyée de fleurs et de voiles blancs.

Plusieurs filles pleuraient abondamment, d'autres demandaient des grâces à sainte Madeleine, en l'appelant Madalice. À l'encontre de toute la tradition liturgique, le curé Pagano profita de son accent étranger pour introduire le nom de Doralice en plein milieu du service pascal. Comme si l'on était dans une messe funèbre. Le père Pagano, un Italien aux tendances anarchistes, très assidu dans sa paroisse, était aussi amateur de confessions arrosées de vin dans les chambres des filles. Depuis le temps qu'il baisait sans payer, il ne pouvait refuser cette faveur à madame Quinina. On disait même qu'il mélangeait le catéchisme avec la psychanalyse, que c'était de là que venait sa passion pour la pastorale des putes.

Dans l'après-midi du Vendredi saint, toute activité était suspendue à la centrale de la police politique. Vigario, à peine rétabli, svelte et arborant son cache-œil de pirate, trônait comme un héros parmi la dizaine de policiers désœuvrés. Il leur avait promis un divertissement intéressant. Déjà, dans les couloirs, les sbires commentaient le spectacle.

Doralice fut conduite devant lui. Elle paraissait calme et ses sourires séduisirent plus d'un observateur. Vigario la reçut en allumant son briquet à bout de bras pour atteindre l'extrémité du long fume-cigarette en ivoire.

— Alors, la petite pute fait des menaces ?

Le silence était total dans la pièce ; les yeux curieux et les sourires tordus restaient rivés sur le corps de Doralice pour ne rien perdre de ses plaintes ni de ses larmes.

— Des menaces ou des promesses ? On dirait que le traitement de la dernière fois n'a pas suffi, n'est-ce pas ? Le cul te chauffe tant que ça, hein, petite salope ? Tu cherches encore à te faire enfiler par une cellule entière de vagabonds ?

Et en léchant l'embout de son fume-cigarette, après un regard circulaire vers ses complices, le policier enchaîna :

— On va satisfaire ton besoin de bites une fois pour toutes, sale ordure. Femelle de merde ! Je vais t'apprendre ce qu'est un vrai mâle. Konder, attache cette putain sur la table !

Au lieu de crier, Doralice éclata d'un rire cristallin, en cascade, le visage radieux et la tête renversée en arrière, triomphante. Ce geste étonnant stupéfia la salle pendant une fraction de seconde. Puis, en ouvrant d'elle-même sa robe, arrachant les boutons, d'un geste très sensuel, elle s'exclama :

— Viens ! Commence toi-même, Vigario. Montre à tes flics que t'as encore des couilles.

Les petits seins vibrants, les yeux fulminants et le sourire cruel, Doralice cria :

— Châtré ! Suceur de putes ! Châtré !… Châtré par mon homme !

Vigario était paralysé, livide devant cette figure vengeresse qui paraissait grandir, devant ces yeux énormes qui bloquaient toute issue. Puis, avec une grimace de peur, reculant avec son siège, un bruit sourd au fond de la gorge, terrorisé, Vigario l'abattit de cinq balles sur la poitrine. Le petit corps de fillette reculait à chaque impact, frémissant sans tomber, le même sourire gravé sur les lèvres.

Vers six heures du soir, après le crépuscule, la voiture noire de la police jeta un corps d'enfant sur la vase du fond de la baie, près de l'aéroport Galeão. Marée montante.

Vers dix heures, l'eau est venue toucher le corps de Doralice sur la vase du marais. L'écume en forme de bulles de savon a entouré la tête de la fillette pour lui faire un voile de fleurs blanches. Et cette eau morte, sale et boueuse devenait au contact du corps aussi douce que des caresses, le tirant dans le reflux avec une avidité d'océan. C'était Yemanja qui venait pour accompagner la fiancée de Negão, pour qu'elle n'arrive pas seule à la fête de son mariage. Xango ouvrait le cortège avec sa marche de tonnerre. Le fiancé attendait, impatient, l'arrivée de la jeune fille pour l'emmener très loin, au delà de l'océan, en visite dans sa famille. Seule Nega Ofelia pouvait le voir ; les autres danseurs ne faisaient que sentir la force de sa présence. C'était la présence de Xango, qui s'exprimait par des éclairs silencieux à l'horizon, vers le fond de la baie. Nuit de tempête et de marée haute en bas ; mais là-haut, à la Rocinha, un vent chaud agitait le linge sur les cordes pour saluer la noce.

Sarava !

Épilogue

Cette histoire est arrivée, il y a plus d'un an. Dans l'église de sainte Madeleine des putes, on ne décore plus l'image de saint Benoît. Doralice a été oubliée.

Pendant le dernier carnaval, les sambas en hommage à Negão ont eu beaucoup de succès, car Sirigaito est un bon musicien. Mais personne ne savait qu'elles avaient été composées en l'honneur d'un homme de notre temps. Negão n'existe désormais que dans la mémoire de quelques rares amis ; et avec le temps qui passe, même là il va disparaître.

Raimunda a perdu le goût de vivre et la beauté des chairs ; son jardin est envahi de ronces et la baignoire rouillée est vide. Vigario a été promu à cause de ses blessures et de son zèle dans le combat pour la démocratie. En ce moment, il se prépare à se rendre au Chili en compagnie du colonel Ardovino, du sergent Konder et d'autres spécialistes : mission diplomatique d'exportation du *know-how* brésilien. C'est que, à Santiago, ils ont donné une nouvelle vocation à leur stade de football, rempli dorénavant de prisonniers qu'il faut questionner. Et les braves limiers brésiliens vont apprendre leurs méthodes aux confrères de là-bas, comme ils le font déjà à Asunción, à Montevideo et à Buenos Aires.

Même s'il va vers le sud, le lecteur de ces latitudes boréales n'aura malheureusement pas grande chance de rencontrer le genre de bonnes gens dont il a été question dans ce récit. Ils ne fréquentent pas les plages à la mode ni les abords des hôtels dans les destinations-soleil. Ils vivent dans le rêve entre la mer et les nuages, dans les étreintes des amants, sur les tambours des poètes, parmi les accords d'une guitare nocturne, au son de la toux des enfants maigres. Bien loin, quelque part entre les deux étoiles inférieures — les plus effacées — de la Croix du Sud.

GARANT DES FORÊTS
INTACTES

Achevé d'imprimer en février deux mille onze
sur les presses de

MARQUIS

(Québec), Canada.